MW00623317

OPINIONES SOBRE EL LIBRO

"¡Excelente! Si quieres entender tu problema de sobrepeso o el de un ser querido, este es el libro. Yo te lo recomiendo. Te explica con claridad y te contesta tus preguntas de manera práctica y motivadora".

Silma Quiñones, Ph.D.
Psicóloga Clínica

"El libro es una gran contribución para tratar el problema creciente de la obesidad, causa de muchas enfermedades degenerativas. La forma educativa y refrescante con que el libro atiende la problemática es excelente. La autora del libro es inteligente, eficaz y muy comprometida con sus pacientes. ¡Ella es un orgullo para su profesión y el libro es lo mejor que he leído del tema!"

Michael González, Ph.D., DSc., FACN.
Catedrático, Programa de Nutrición
Recinto de Ciencias Médicas, Universidad de Puerto Rico

"Algo que me encantó de este libro es la claridad y sencillez de su vocabulario por lo que puede ser entendido fácilmente. Además, la forma en que se presentan los temas nos ayuda a poder releerlo cada vez que necesitemos de esa mano amiga y profesional para seguir adelante en el mantenimiento de un peso saludable... ¡Hacía falta un libro así!"

Luz Nereida Vélez
Periodista Ancla de Televisión

"¡Está excelente! Cubre todos los aspectos más importantes de la nutrición y los problemas del sobrepeso en una forma amena, interesante y de fácil lectura. Felicito a la autora por ser tan asertiva en la creación de este libro. Lo recomiendo para todas las edades".

María Teresa Mendizábal, B.A., NSCA-CPT-D*
Entrenadora Personal del Año-2004- NSCA

"El libro tiene humor y a la hora de perder peso no se necesitan sermones, sino una mano amiga que nos haga ver todo de forma refrescante, con esperanza y seguros de que ésta es una carrera no de velocidad, sino de resistencia".

Nellie Rivera
Periodista Radial

PIERDE PESO Y GANA SALUD

Una guía sencilla, práctica y efectiva para perder libras, no recupeararlas y lograr un estilo de vida saludable.

Vilma G. Calderón Jiménez, L.N.D., M.A.R., E.D., C.P.T.
Licenciada en nutrición y dietética
Maestría en artes y religión
Educadora en diabetes
Especialista en control de peso
Entrenadora personal certificada

ISBN: 1-59608-327-1

Diseño de la Portada: **Holly Chen Cruz**
Caricaturas de la portada y de las páginas interiores: **Arturo Yépez**
Montaje digital: **Nynah Nieves / Soluciones Editoriales**
Impreso en Puerto Rico

La autora tiene su oficina y práctica privada en:
Las Américas Professional Center
Oficina 302, Ave. Domenech #400
Hato Rey, Puerto Rico
Teléfonos: **(787) 282-7244 • (787) 633-7700** Fax **(787) 751-3527**
Dirección Postal: PO Box 361466
San Juan, Puerto Rico 00936-1466
Dirección electrónica: **pierdepesoyganasalud@yahoo.com**

AVISO

Este libro no pretende sustituir tratamiento alguno que su médico le haya indicado. Se recomienda que siempre busque la evaluación médica antes de comenzar cualquier dieta o programa de ejercicios.

La autora no se responsabiliza por cualquier daño o efecto adverso como consecuencia del uso de la información publicada en este libro.

DEDICATORIA

Quiero dedicarle este libro a los miles de pacientes que me han pedido tantas veces que ponga por escrito las muchas recomendaciones que les doy y que, a la misma vez, me han dado la experiencia para poder seguir ayudando a otras personas.

También quiero dedicarle este libro a mi amado hijo José Bayoán, quien a la edad de 10 años, el 18 de abril del 2004, con su gran sabiduría, me dijo: *"Mami, tu forma de evolucionar es hacer el libro porque lo que tú sabes se lo dices a tus pacientes, pero eso no es suficiente. Tú quieres que más personas se beneficien y eso es evolucionar. El escribir el libro es demostrar que tú tienes el valor de evolucionar"*.

TABLA DE CONTENIDO

El aspecto emocional

Aprende a comer saludablemente

Historias de éxito

AGRADECIMIENTOS

A mi hermana Claribel por su apoyo incondicional y por darme el ánimo para escribir el libro. A mi sobrina Verónica por sus ingeniosas sugerencias. A mi hijo José Bayoán por resolverme los problemas con la computadora. A los familiares, amigos y amigas que leyeron el borrador del libro y me hicieron acertadas recomendaciones.

Un agradecimiento muy especial a la Profesora Úrsula Rodríguez, quien fue mi maestra de español en la escuela superior, a la Lcda. Irma Ruiz Betances, mi profesora de nutrición en mis años universitarios y a la Dra. Luz Nereida Pérez, quien hizo la lectura final del libro. Las sabias sugerencias de ustedes contribuyeron a la calidad de este trabajo.

Por último, quiero agradecerle a Dios, ese Ser no tangible, pero real en mi vida, a quien le pedí la iluminación para poder escribir el libro y me brindó las ideas plasmadas y el privilegio de poder ayudar a más personas.

YA LO LEÍ...
¡AHORA ES TU MOMENTO!
PIERDE PESO Y GANA SALUD
ARTURO YEPEZ

INTRODUCCIÓN

¿Qué pensarías si yo te dijera que puedes comer arroz, habichuelas, pan, viandas, carnes, pescados, vegetales, frutas y hasta mantecado todas las noches y aún así podrías bajar todas las libras que desees? ¡No te miento! Esa es la experiencia de los pacientes que asisten a mi oficina. Ellos comen casi todos los alimentos, hacen en el día tres comidas y sus meriendas y en la noche esperan con ansias el cereal con leche o el mantecado para acostarse felices. Algunos me dicen: "No cambio esta forma de alimentación por ninguna porque en realidad no siento que estoy a *dieta*. Además, me siento muy a gusto con lo que como. A veces me pregunto, ¿por qué ahora como más y bajo de peso y antes siempre estaba a *dieta* y seguía engordando?"

En este libro encontrarás la respuesta a esa pregunta y a muchas otras como las siguientes.

1. *¿Qué es realmente lo que engorda y hace subir de peso a las personas?*
2. *¿Por qué es tan difícil perder libras y tan fácil recuperarlas?*
3. *¿Por qué empiezas una dieta y a las pocas semanas la dejas?*
4. *¿Cómo la nutrición te puede ayudar a prevenir algunas enfermedades o a controlarlas si ya las tienes?*
5. *¿Por qué es importante establecer buenos hábitos de alimentación desde la niñez?*
6. *¿Qué realmente es cierto y falso sobre las muchas cosas que se recomiendan para perder peso?*
7. *¿Por qué al perder peso ganas salud?*

Muchas personas llegan a mi oficina desesperadas y agobiadas por el exceso de libras. Algunas me expresan que cuando se miran al espejo lo que piensan es:

- "Me siento fea(o)".
- "¡Qué mal me veo!"
- "Ya no tengo forma".
- "Me siento horrible".
- "Mi cuerpo ha cambiado".
- "Mis muslos están como perniles".
- "Parezco un *mattress* amarrado por la cintura".
- "Tengo un abdomen detestable".
- "No quiero que la gente me vea".

Estos pensamientos y sentimientos no tienen por qué continuar siendo parte de tu vida. Además, tal vez son demasiados los años que llevas batallando con el sobrepeso y la obesidad. Es también mucho el tiempo que tu cuerpo lleva cargando las libras de más y tu mente lidiando con la frustración, la desesperación y la angustia. ¡Hasta hoy, ya no más!

Este libro te ayudará a comprender que **¡perder peso no es un sueño y puede ser una maravillosa realidad para todas las personas que se lo propongan!** También debes entender que si hasta hoy no lo has logrado, no es porque no puedas alcanzarlo. Es porque posiblemente no has tenido las herramientas y las estrategias necesarias para garantizar tu éxito. La lectura de este libro te brindará la información necesaria para equiparte con todo lo indispensable para que esta vez le ganes la batalla al exceso de peso.

¿Te imaginas poder comer todos los días arroz, habichuelas, pastas, panes, cereales, carnes, pescados, vegetales y frutas y, aún así, perder 10, 40, 70 y hasta sobre 100 libras de peso? ¿Te parece imposible? Pues, comienza a creerlo porque ésa es la propuesta de este libro. Enseñarte a comer de todos esos alimentos en las cantidades adecuadas y en las combinaciones correctas para que **¡pierdas peso y ganes salud!**

CAPÍTULO 1

LA OBESIDAD

¡EVALÚA TU PROPIO CASO!

¿Necesitas perder peso?

"Reconocer que tienes un problema de sobrepeso o de obesidad y decidir trabajar para resolverlo es el primer paso hacia tu gran meta de llegar a un peso saludable".

CÓMO SABER SI ESTÁS EN SOBREPESO U OBESIDAD

Lo primero que debes hacer antes de comenzar una "dieta" para perder peso es determinar si en realidad la necesitas. Para evaluar si una persona está en un estado de sobrepeso u obesidad existen distintos métodos que la comunidad científica utiliza y que voy a discutir más adelante. Sin embargo, antes de pasar a éstos, debes saber que existe una realidad personal y una forma sencilla que puede ayudarte a identificar tu necesidad de bajar de peso. Por ejemplo, lee la lista de las siguientes situaciones y de un modo honesto contesta si te puedes identificar con alguna de ellas.

Evalúa de forma sincera si…

		SI	NO
1.	No te gusta cómo te sientes con tu cuerpo.	☐	☐
2.	Evitas que tus familiares o amigos te vean porque siempre hacen el mismo comentario: "¡Que gordo(a) tú estás!".	☐	☐
3.	Vestirte se ha convertido en una tortura.	☐	☐
4.	Se te ha desprendido el botón de una camisa o un pantalón alguna vez.	☐	☐
5.	Los "*blazers*" o chaquetones que antes usabas cerrados ahora tienes que dejarlos abiertos.	☐	☐
6.	En el caso de los varones, las chaquetas tampoco cierran.	☐	☐
7.	Has comenzado a usar pantalones sin cerrar el botón o sin subir totalmente la cremallera.	☐	☐
8.	Al vestirte, escoges siempre colores oscuros para disimular las libras de más.	☐	☐

	SI	NO
9. Hace tiempo que no usas las blusas por dentro del pantalón.	☐	☐
10. Sales a comprar ropa y regresas frustrado(a).	☐	☐
11. Compras ropa de un tamaño más pequeño con la esperanza de que llegue a servirte.	☐	☐
12. Te fatigas al caminar o te sientes cansado(a) frecuentemente.	☐	☐
13. Te están doliendo los pies, las rodillas y la espalda más de lo usual.	☐	☐
14. Los muslos te rozan al caminar.	☐	☐
15. Evitas que tu pareja te vea desnudo(a).	☐	☐
16. Has comenzado a dejar de salir porque te sientes "gordo" o "gorda".	☐	☐

Si has contestado afirmativamente sobre alguna (o a casi todas) de estas situaciones, no tienes que buscar mucho más; ya sabes que ¡tienes que trabajar con tu sobrepeso! Sin embargo, para que tengas una idea más objetiva y científica, examina algunos de los métodos más utilizados para evaluar el peso de las personas.

ÍNDICE DE MASA CORPORAL

El método que más se utiliza actualmente para evaluar el peso es el índice de masa corporal (IMC), conocido en inglés como el "Body Mass Index" (BMI). Para determinar el índice de masa corporal, se creó una tabla que correlaciona el peso con la estatura de la persona y asigna un número para la clasificación del peso. Las personas buscan en esta tabla su estatura y su peso para conocer el número asignado. La clasificación del índice de masa corporal establece lo siguiente:

17 ó menos	=	Bajo Peso
18-24	=	Peso Saludable
25-29	=	Sobrepeso
30-39	=	Obesidad
40 ó más	=	Obesidad Extrema

Cuando la persona no tiene disponible la tabla del índice de masa corporal, puede utilizar la siguiente fórmula para obtenerlo. ¿Estás listo(a) para investigar cuál es tu estado de sobrepeso? Si la respuesta es afirmativa, sigue los próximos pasos para que veas en qué clasificación te encuentras. Si la respuesta es negativa, ya sea porque no lo deseas (o porque todavía no estás preparado(a) para enfrentar esa realidad), simplemente cierra los ojos y pasa al siguiente tema. Cuando estés listo(a), regresa para investigarlo.

Para determinar el índice de masa corporal busca una calculadora y utiliza la siguiente fórmula.

Fórmula para saber el Índice de Masa Corporal:

$$\text{Índice de Masa Corporal} = \frac{\text{Peso en libras}}{\text{Estatura (pulgadas)}^2} \times 704.5$$

Ejemplo de una persona:

Peso- 195 libras

Estatura- 5’ 7” (67 pulgadas)

Pasos:

1. Multiplica la medida de la estatura por sí misma (67 x 67) = 4489
2. Divide el peso en libras (195) entre el resultado (4489) = .043
3. Multiplica el resultado (.043) x 704.5= 30.2
4. La persona tiene un índice de masa corporal de 30 y una clasificación de obesidad.

Ahora, realiza los pasos utilizando tu estatura y peso. ¿Cuáles son tus resultados? ¿Tienes buenas o malas noticias?

Quiero que sepas que, independientemente de los resultados, ya has dado un gran paso; ¡ya sabes en qué clasisificación te encuentras! No importa si el resultado te ubica en un estado de sobrepeso u obesidad extrema. Este libro ha sido escrito para ti, tengas 10, 40 ó más de 100 libras en exceso. Aquí encontrarás (¡por fin!) toda la información que necesitas para deshacerte de esas libras y mejorar tu salud. Así que, ¡sigue leyendo!

TABLA DE PESO Y ESTATURA

El índice de masa corporal, aunque es aceptado por la mayoría de las autoridades en salud, presenta unas limitaciones, ya que no toma en consideración el sexo de la persona, la estructura ósea y la proporción de grasa y de músculo. Es por eso que también se utilizan otros métodos para evaluar el peso. La tabla de peso y estatura, por ejemplo, lleva muchas décadas usándose. Tiene el beneficio de que con ella se determina el peso saludable de una persona tomando en consideración si es hombre o mujer y su estructura ósea. Para establecer cuál es la estructura ósea, se mide la muñeca y se busca en una tabla la clasificación en la que se encuentra la persona. La estructura ósea, o tamaño de los huesos en relación a la estatura, se clasifica entre pequeña, mediana y grande. Para determinar la estructura ósea (aunque casi todos los pacientes llegan a mi oficina diciendo que ellos son de "huesos grandes"), yo también utilizo la medida del peso usual.

El peso usual es aquel que la persona casi siempre ha tenido entre los 18 y los 25 años, generalmente antes de casarse (luego del matrimonio, ¡casi todo el mundo engorda!). Esta medida ayuda a ubicar a la persona de una forma más armónica con su realidad. Por ejemplo, si la persona siempre ha estado en sobrepeso, no importa que la medida de la muñeca la clasifique en una estructura ósea pequeña o mediana. Es más real para ella determinar su peso saludable de acuerdo a una estructura ósea grande. Por otro lado, si la persona siempre ha estado bajo peso, independientemente de la medida de la muñeca, es más cónsono con su historial ubicarla en una estructura ósea pequeña.

POR CIENTO DE GRASA

¿Alguna vez has visto a algún hombre que hace mucho ejercicio y cuando te dice que pesa sobre 200 libras no le crees porque se ve más delgado? En estas personas que pesan mucho pero que se ven delgadas, lo que sucede es que tienen mucha masa muscular y poca grasa en el cuerpo. De igual forma, cuando la persona tiene mucha grasa y poco músculo se le ve con más peso del que tiene. Esto sucede porque cuando comparas una libra de grasa con una libra de músculo, la grasa tiene más volumen (se esparce más) y el músculo es más definido. Cuando se analiza en una persona la cantidad de grasa y se compara con las libras que pesa, se está evaluando el por ciento de grasa. Aunque el peso total es un buen indicador del estado de salud, la medida del por ciento de grasa es más importante porque lo que en realidad aumenta el riesgo de enfermedades no son los músculos, sino la grasa.

Para determinar el por ciento de grasa en una persona existen distintos métodos. Uno de ellos es el uso del "caliper", conocido también como adipómetro o plicómetro. Con este instrumento (es parecido a unas pinzas), se toman tres medidas en el cuerpo, se suman y se compara el resultado en unas tablas. En el hombre se miden las siguientes áreas del cuerpo: tríceps, pecho, abdomen, suprailiaco, muslo y escápula. En las mujeres se utilizan las mismas medidas, excepto la del pecho.

Otro método que actualmente también se aplica para determinar el por ciento de grasa es el uso de las máquinas de impedancia y de luz infrarroja. Sin embargo, independientemente del método que se use, todo plan que promueva el control de peso tiene que incluir la evaluación del por ciento de grasa. De este modo, se va a evaluar no sólo la pérdida de libras totales, sino la reducción en libras de grasa mientras se preserva la masa muscular.

En términos generales, un por ciento de grasa adecuado para una mujer adulta es de 20-25%. Para un hombre adulto es de 15-20%. En el caso de los atletas (aunque es variable) y los fisiculturistas el por ciento de grasa es menor. El por ciento de grasa en la mujer puede bajar a uno entre 12-16% y en los hombres a uno entre 5-10%. Es importante comprender que el tejido adiposo (grasa) es menor en los varones, ya que por razón de género los hombres tienen más músculo y menos grasa. En las mujeres, debido a que su cuerpo lleva a cabo la función de la reproducción, la cantidad de grasa es mayor, sobre todo en las áreas de los senos, el vientre y las caderas. También hay que señalar que el por ciento de grasa aumenta con la edad en ambos sexos. Debido a los cambios hormonales y al proceso natural de envejecimiento, se va perdiendo la masa muscular y se va ganando tejido adiposo. Esta grasa tanto en el hombre como en la mujer, se acumula mayormente en el área de la cintura, un problema no sólo estético, sino de salud.

VARONES
MÁXIMO DE CINTURA 40"
BALANCÍN dice:
¡TOMA LA MEDIDA EN LA CINTURA Y NO EN LA CADERA!
¡JA!
¡NO TENGO QUE PERDER PESO!
39"
ARTURO YEPEZ

MEDIDA DE LA CINTURA

El peso es un criterio indispensable para evaluar los riesgos para la salud. El por ciento de grasa es todavía más determinante y el lugar en donde se encuentre la grasa es aún más importante. ¿Por qué? La grasa más peligrosa es la que se acumula en el área central. O sea, que ese refrán de que "la pipa es lo de menos" está muy lejos de la verdad, ya que **la grasa que se acumula en el área abdominal es la que más aumenta el riesgo de diabetes y de problemas cardiovasculares.** Así que, si la fórmula del índice de masa corporal te pareció muy compleja, aquí tienes un modo muy sencillo de evaluar tu condición y saber si tienes que perder peso. Busca una cinta métrica y mide la cintura (sin apretar). Si eres mujer y la cintura mide 35 pulgadas o más y si eres varón y la cintura mide 40 pulgadas o más, ¡tienes que perder peso!

¡MPH! ¡GRRÑ! ¡OOMPH! ¡GRR!
¡LO LOGRÉ!
DAMAS
MÁXIMO DE CINTURA
35"
34" ½
BALANCÍN
dice:
¡MIDE LA CINTURA SIN APRETARTE!
ARTURO YEPEZ

CAPÍTULO 2

CÓMO SURGEN EL SOBREPESO Y LA OBESIDAD

La culpa del aumento en peso la tienen: ¿los hidratos de carbono, las proteínas, las grasas o las calorías?

"Si comprendes bien por qué aumentas de peso, podrás entender mejor lo que tienes que hacer para bajar el exceso de libras".

"¿A QUIÉN LE ECHO LA CULPA DE MI SOBREPESO?"

Cuando nos subimos a la báscula y vemos que la misma sigue registrando el aumento en peso, automáticamente comenzamos a pensar: ¿de quién es la culpa? Muchos se preguntan: "¿Son las tostadas de pan criollo que me como en las mañanas o es el arroz que no acabo de dejarlo? ¿Son las papas fritas de los *fast foods* o son los dulces que no los puedo evitar?" Constantemente nos estamos preguntando: "¿Debo dejar los hidratos de carbono en la dieta o debo eliminar las grasas? ¿Qué es lo que debo omitir para poder lograr perder peso?"

En décadas pasadas, la mayoría de las personas entendía que al eliminar las grasas de la dieta diaria se podía resolver el problema del sobrepeso. De hecho, las industrias de alimentos comenzaron a crear un sinnúmero de productos libres de grasa ("fat free") y bajos en grasa ("low fat"). Comenzó el fuerte mercadeo de la leche baja en grasa, el jamón sobre 95% libre de grasa y muchos otros productos que fueron llenando las góndolas de los supermercados. ¿Qué pasó con el problema del sobrepeso? ¡Nada! El mismo no se resolvió; incluso, la obesidad fue en aumento.

Recientemente, las grasas han perdido protagonismo y la culpa del sobrepeso comenzaron a cargarla los hidratos de carbono, los mal llamados *carbohidratos* (esta palabra es una traducción incorrecta de la palabra en inglés "carbohydrates"). La mala fama de éstos comenzó a aumentar y, con el furor de la dieta *Atkins* y todas las variaciones que promueven un bajo consumo de hidratos de carbono, la opinión pública los sentenció como los grandes responsables del sobrepeso. Nuevamente, las industrias de alimentos no perdieron tiempo y comenzaron con el agresivo mercadeo de productos bajos en hidratos de carbono. Muy pronto las góndolas de los supermercados comenzaron a llenarse de jugos, cereales, panes, mantecado, yogur y comida congelada "low carb", entre otros. ¿Resultados? Continuamos con el serio problema de la obesidad y lo peor de todo es que los estudios demuestran que la misma sigue aumentando, no sólo en los adultos, sino en los adolescentes y los(as) niños(as).

FÓRMULA "MÁGICA" PARA SUBIR O BAJAR DE PESO

Para poder comprender por qué las personas aumentan de peso es indispensable entender que la ganancia en libras es el resultado de una sencilla ecuación matemática. Si la persona no sufre de alteraciones hormonales (como el hipotiroidismo) u otros problemas fisiológicos o si está usando medicamentos como la prednisona, entre otros, el aumento en peso se debe simplemente a un exceso en el consumo de calorías diarias. Cuando se ingiere más calorías que las que se gasta, ese exceso calórico no se elimina, sino que se acumula en el cuerpo en forma de grasa y se traduce en un aumento en peso. Si la persona consume menos calorías de las que gasta, cuando su cuerpo necesite la energía comenzará a utilizar la grasa acumulada para producirla y, como resultado, bajará de peso. Cuando se consume la misma cantidad de calorías que la que se gasta, no hay cambios en el peso, sino un mantenimiento del mismo.

Es importante señalar que cada libra de peso equivale a 3,500 calorías. Es por eso que para poder bajar una libra es necesario crear un déficit de ¡3,500 calorías! Este déficit se puede provocar, por ejemplo, consumiendo 500 calorías menos de las que se necesiten diariamente. De este modo, al terminar una semana se habrá ingerido 3,500 calorías menos y habrás provocado la pérdida de una libra de peso. La clave está, por lo tanto, en consumir menos calorías. Pero, y ¿qué son las calorías?

La palabra que comúnmente se conoce como ***caloría*** se refiere al término ***kilocaloría*** y se define como la cantidad de calor necesaria para aumentar la temperatura un grado centígrado en un kilogramo de agua. Sin embargo, en palabras sencillas, lo que esto quiere decir es que los alimentos encierran o aportan una cantidad de energía y que la palabra ***caloría*** se refiere a la unidad que se utiliza para medir esa energía. De esta forma, mientras más energía contenga un alimento más calorías aportará y mientras menos energía tenga más bajo será en calorías.

Los responsables de las calorías son los siguientes macronutrientes: **los hidratos de carbono, las proteínas** y **las grasas.** La aportación calórica es como se indica a continuación:

Hidratos de Carbono – 1 gramo	=	4 calorías
Proteínas – 1 gramo	=	4 calorías
Grasas – 1 gramo	=	9 calorías

Debido a que las grasas aportan más del doble de las calorías que los hidratos de carbono y las proteínas, es claro que restringiendo la cantidad de grasas en la dieta la persona va a tener una reducción en el consumo de calorías. Sin embargo, es igualmente necesario controlar la cantidad de hidratos de carbono y de proteínas en la dieta, ya que de esta forma también limitamos el total de las calorías diarias. La responsabilidad del aumento en peso, por lo tanto, es una compartida por todos los macronutrientes (los hidratos de carbono, las proteínas y las grasas). Si la persona tiene un exceso en las calorías que ingiere sin importar de dónde provengan, las mismas se van a acumular en forma de grasa y van a llevar a un aumento en libras.

PATRONES ALIMENTARIOS QUE LLEVAN AL SOBREPESO

El número de calorías que ingerimos va a depender de los alimentos que seleccionamos, de su cantidad y de cómo los preparamos. La experiencia de muchos años como nutricionista me ha llevado a identificar unos patrones alimentarios típicos en las personas con problemas de peso que son los que les llevan al exceso de calorías. Los patrones más comunes los podemos resumir como los siguientes:

1. **El de la persona que come mucho de todo**

   Es ésta la que consume grandes cantidades de arroz, habichuelas, pastas, panes, viandas, carnes, pescados, postres, etc. Es como los mismos pacientes me dicen: "A mí me gusta comer y como de todo. Ése es mi problema".

2. **El de la persona que come poco, pero la selección de alimentos es alta en calorías**

   Es la persona que se come las papas fritas "pequeñas" y come poco arroz y habichuelas, pero que los acompaña siempre con tostones o plátanos maduros fritos. Incluye también un pedazo de carne pequeño pero frito.

3. **El de la persona que no se sienta propiamente a comer, pero que se pasa el día *picando***

   Esta persona tiene un alto consumo de calorías que provienen no tanto de las comidas principales, sino de las meriendas altas en calorías, como los refrescos carbonatados, los dulces, los productos salados de "bolsitas", los de repostería y otros.

4. **El de la persona que pasa muchas horas sin comer**

   Ésta hace solamente dos comidas al día, pero las mismas son bien altas en cantidades y en calorías. Al estar tantas horas sin ingerir alimentos, no sólo le baja el metabolismo, sino que, al tener mucha hambre, no puede controlar las cantidades de las porciones y consume entonces grandes cantidades de comida.

5. **El de la persona que tiene conocimiento de nutrición y buenos hábitos de alimentación, pero que consume porciones que están por encima de lo que necesita**

   Esta persona no consume alimentos fritos ni postres. Come frutas, vegetales, panes y cereales altos en fibra, pero las porciones que consume aportan más calorías de las que necesita.

6. **El de la persona que tiene muy buenos hábitos de alimentación y que ingiere porciones de alimentos que son adecuadas, pero tiene un metabolismo lento, una vida totalmente sedentaria o ambos**

   La persona con este patrón alimentario hace una buena selección de alimentos y las porciones son correctas, pero el metabolismo o el estilo de vida sedentario limitan las calorías que gasta. Aunque en todos los casos el ejercicio es importante, para este tipo de persona es indispensable para que pueda ver una pérdida de peso.

7. **El de la persona que se excede en las calorías no por hambre "real", sino porque canaliza los estados emocionales a través de la comida**

   La persona presenta una ingesta excesiva de calorías debido a que canaliza los estados emocionales a través de la comida. Es la que ingiere grandes cantidades de alimentos, no porque le dé más "hambre real", sino porque la ansiedad, la frustración u otros sentimientos le impulsan a comer. La comida se utiliza como un recurso de escape ante los sinsabores de la vida. Este tema se discute de forma más profunda en el Capítulo 9.

Para poder perder peso las personas tienen que, por un lado, consumir menos calorías y por el otro, aumentar el gasto calórico. Las calorías que una persona gasta dependen de varios factores: el sexo, la estatura, la edad, la cantidad de masa muscular y el metabolismo. Las mujeres queman menos calorías que los varones (ellos tienen más músculo). Las personas altas tienen un gasto calórico mayor que las pequeñas y, mientras más masa muscular se tenga, más calorías se gastan.

La edad es también otro factor que debe considerarse ya que, a medida que van pasando los años, se reduce el gasto de energía debido a que el metabolismo disminuye. El metabolismo depende de la genética y varía de persona a persona. Es por eso que hay quienes comen y comen y nunca engordan mientras que otros tienen que controlar constantemente las calorías para no aumentar de peso. Aunque el metabolismo no está bajo nuestro control, sí podemos tratar de aumentarlo haciendo ejercicios, evitando las dietas muy bajas en calorías y previniendo los períodos prolongados sin ingerir alimentos.

CAPÍTULO 3

LA OBESIDAD Y LAS ENFERMEDADES

Riesgos para la salud

"La salud, como muchas otras cosas, comienzas a valorarla cuando empiezas a perderla".

CONSECUENCIAS DE LA OBESIDAD

Es un hecho real que la obesidad afecta no sólo la estética sino también la salud. Sin embargo, la mayoría de las personas se interesa o se motiva a perder peso no por la salud sino por la apariencia. Aunque nunca está de más tratar de lucir bien, los estudios científicos que relacionan la obesidad con las enfermedades son tan abrumadores y contundentes que debieran provocar en cualquier persona el deseo de comprometerse a mantener un peso saludable. A pesar de que los factores genéticos y de estilo de vida influyen en el desarrollo de muchas de estas condiciones, es incuestionable que la obesidad aumenta sus riesgos de un modo dramático. La lista de enfermedades relacionadas con los problemas del sobrepeso es impresionante. Entre las muchas condiciones podemos señalar que la obesidad aumenta el riesgo de desarrollar o complicar los siguientes problemas de salud:

1. Condiciones Cardiovasculares y Factores de Riesgo

    - Presión Arterial Elevada
    - Infarto al Miocardio (Ataque al Corazón)
    - Accidentes Cerebrovasculares
    - Niveles de Colesterol y de Triglicéridos Elevados

2. Diabetes Mellitus

    El 80% de las personas que desarrollan Diabetes Tipo 2 están en sobrepeso.

3. Cáncer

    Ciertos tipos de cáncer, como los de mamas, endometrio, colon y otros.

4. Condiciones Musculoesqueletales

    Aumentan los problemas de espalda, caderas, rodillas y pies.

5. Artritis Reumatoidea y Osteoartritis
6. Enfermedad Renal

   El sobrepeso hace que la enfermedad renal progrese más rápido.

7. Hígado Graso
8. Problemas de la Vesícula Biliar
9. Reflujo Esofageal
10. Apnea del Sueño
11. Gota
12. Problemas respiratorios como el asma
13. Complicaciones en el embarazo, como Diabetes Gestacional y Presión Arterial Elevada
14. Problemas mentales, como depresión y baja autoestima
15. Aumento en la morbilidad
16. Expectativa de vida reducida

La obesidad también produce en las personas mayores dificultades para hacer las tareas diarias, lo que aumenta el cansancio y disminuye el nivel de energía. Además, los problemas del sobrepeso pueden llevar a las personas a tener una baja autoestima y a problemas de depresión mental. Por eso, es importante comprender que, aunque no todas las mujeres tienen que ser tamaño 3 de ropa (como las modelos de revistas) y no todos los varones tienen que ser medida 32 de pantalón (como los fisiculturistas), es necesario que todos nos comprometamos con llegar y mantener un peso adecuado con el que nos sintamos bien y que, de igual forma, nos ayude a reducir los riesgos de contraer enfermedades.

El bajar libras y llegar a un peso saludable ofrece muchos beneficios. Al perder peso, la persona mejora el nivel de energía y la vitalidad (a algunos hasta les mejora el sentido del humor y la personalidad). También baja la presión arterial, el nivel de glucosa en sangre, el colesterol y los triglicéridos. De igual modo, se reducen las posibilidades de desarrollar diabetes, ciertos tipos de cáncer, problemas cardiovasculares y otras condiciones médicas. A pesar de que podemos pensar que nunca nos vamos a enfermar, en ocasiones, la vida se encarga de mostrarnos otra realidad. Además, si ya tienes alguna de estas enfermedades, las mismas se controlan mejor al llegar a un peso saludable.

Evitar el exceso de peso y seleccionar alimentos nutritivos diariamente es una decisión importante que toda persona debe tomar. ¿Por qué? Porque la salud es uno de los mayores tesoros y privilegios que podemos disfrutar. Mantener un peso adecuado y escoger cuidadosamente los alimentos que consumimos día a día es el mejor seguro de salud. ¡Piénsalo! No hay mejor plan médico ni mejor seguro de vida que estar en un peso saludable, hacer ejercicios y consumir alimentos nutritivos todos los días.

CAPÍTULO 4

LA MOTIVACIÓN

EL DESEO DE PERDER PESO

¿Por qué te interesa bajar libras?

"Sólo lograrás perder el exceso de libras cuando ese deseo se convierta en un proyecto importante en tu vida".

RAZONES PARA BAJAR EL EXCESO DE LIBRAS

Un gran número de personas reconoce que la obesidad aumenta los riesgos de desarrollar muchas enfermedades. Esta información que se discutió en el capítulo anterior, debería ser suficiente para interesar a toda la gente con exceso de libras a perder peso. Sin embargo, la realidad no es así y, aunque la salud es lo más importante, el cuidarla no es la principal motivación en la mayoría de las personas que desean deshacerse de las libras de más. Aunque nadie quiere enfermarse, el deseo de bajar libras surge mayormente por el interés de mejorar el cuerpo y ser más atractivos(as). Este deseo de mejorar la apariencia puede ser el resultado de una decisión personal, producto del simple análisis del estado de sobrepeso, pero esta decisión también puede ser motivada por distintas situaciones que esté viviendo la persona.

A través de mi práctica como nutricionista y dietista y después de entrevistar y tratar a miles y miles de personas que han decidido bajar de peso, he encontrado una gran variedad de razones por las cuales se motivan a bajar libras. A continuación, te presento las razones más comunes para adelgazar como los pacientes me las han expresado.

Razones para perder peso:

- "Quiero comprarme ropa bonita y toda esa ropa viene en tamaños pequeños".
- "Me voy a casar y quiero estar *regia*".
- "He aumentado 40 libras desde que me casé".
- "Me acabo de divorciar y necesito subirme la autoestima".
- "Siempre he tenido problemas de peso y creo que me llegó la hora de trabajar con eso".
- "Conocí a alguien por internet y lo voy a ver pronto".
- "Me vi en el video de una actividad familiar y de verdad que no sabía que estaba tan gordo".

- "Después que me vi en las fotos del crucero, decidí que no podía seguir así".
- "Mi hijo se gradúa, voy a desfilar con él y necesito bajar de peso".
- "Quiero quedar embarazada y el ginecólogo me pidió que bajara de peso antes".
- "Mi hijo tiene 6 años de edad y ahora tengo el mismo peso que cuando estaba embarazada".
- "Mi hija me dijo que quería tener una mamá flaquita".

¿Has escuchado esas razones alguna vez? Examina las próximas.

- "La clase graduada de mi escuela superior se va a reunir y no quiero ser la que peor esté".
- "Mi esposo se pasa criticándome por el sobrepeso".
- "Mi esposa quiere que rebaje para que deje de roncar".
- "He aumentado 20 libras desde que estoy en la universidad".
- "Desde que cumplí los 40 años, sigo aumentando gradualmente y no lo puedo evitar".
- "Después de la muerte de mi madre, no sé qué me ha pasado pero sigo subiendo de peso".
- "Me denegaron una póliza de seguro de vida y quiero volver a someter la solicitud cuando haya bajado de peso".
- "Quiero hacer el próximo maratón en mejor tiempo".
- "Me voy de vacaciones y quiero lucir mejor".
- "Desde que llegué de las últimas vacaciones no he podido bajar las libras que aumenté".
- "Quiero ganar una apuesta".
- "Ya no recibo ningún piropo en la calle".

- “Un grupo de desconocidos se rió de mí cuando pasé por el lado”.
- “Quiero deshacerme de la barriga que tengo”.
- “¡Estoy cansado del sobrepeso!”
- “¡Estoy harta de estar gorda!”

Por supuesto, hay algunos que también revelan preocupación por la salud.

- “Me subió la presión y mi salud se está afectando”.
- “La glucosa (el azúcar) en la sangre está descontrolada”.
- “Tengo el colesterol y los triglicéridos muy elevados”.

Como puedes ver, son muchas y variadas las razones que pueden llevar a una persona a querer adelgazar. La pregunta importante ahora es: ¿qué te motiva a ti a perder peso? ¿Qué razón te puede entusiasmar o qué motivos te pueden incentivar a resolver el problema del sobrepeso? ¡Piénsalo, analízalo y discútelo contigo mismo(a) o con otra persona! Luego de identificar tu motivación, aférrate a ella como a un salvavidas en pleno océano. Recuerda que, aunque es cierto que además de la motivación vas a necesitar otros pasos para lograr el éxito permanente, ésta va a ser el motor que iniciará todo el proceso. Si después de la introspección no encuentras qué te anima a perder peso, sigue buscando hasta que encuentres una razón importante para liberarte del sobrepeso para siempre.

Cada cual necesita su propia motivación y sin ella, no tendrás el entusiasmo para iniciar y mantener tu objetivo. Así que, busca la tuya para que puedas salir de las “garras” que te atan a la obesidad. Al despertar tu interés por perder peso y encontrar tu propia motivación, comenzarás a dar los primeros pasos hacia la gran meta que te espera: lograr y disfrutar un peso saludable.

CAPÍTULO 5

LA ANGUSTIA DE TODAS LAS MAÑANAS

¿Vestirse es esconderse detrás de la ropa?

"Encontrar ropa bonita y que te quede bien no es lo más importante, pero puede ser lo que más te motive a bajar de peso".

"¿QUÉ ROPA PUEDO USAR QUE ME SIRVA Y ME QUEDE BIEN?"

¿Hay algo más frustrante que comenzar a vestirse y tener que ponerse y quitarse 3, 4 ó 5 piezas de ropa porque las mismas no te sirven o te quedan demasiado ajustadas debido al aumento en peso? No sé qué tú piensas, pero, definitivamente, esta es una de las experiencias más desagradables y frustrantes que existen. A la misma vez, es una de las razones más comunes y estimulantes para motivar a cualquier persona a perder peso. No importa si es porque la ropa ya no te sirve y rehúsas comprar un tamaño mayor o porque simplemente quieres comprar ropa más bonita o que te quede mejor. Lo importante es que la frustración con la ropa puede ser "la gota que derrame el vaso" y lo que te mueva a tomar la decisión de bajar libras.

En mi oficina, todo paciente nuevo completa un cuestionario para poder conocer sus hábitos de alimentación. En una de las partes se le pide que si está en sobrepeso escriba qué es lo que más le preocupa o le frustra. El 90% de los pacientes contesta que es ¡la ropa! Ellos expresan que los niveles elevados de glucosa, colesterol o triglicéridos no se pueden ver. Lo que sí se ve y se siente es cuando la cremallera no sube o se desprende algún botón. Cuando la ropa aprieta o no sube, llegó el momento de la decisión: ¡hay que bajar de peso!

La mayoría de las personas tiene el clóset dividido en tres partes donde clasifican la ropa de la siguiente forma: la que ya no usan (pero que no quieren deshacerse porque tienen la esperanza de que algún día se la van a volver a poner), la de un estilo favorable y colores oscuros para disimular las libras de más y la que tolera el "sube y baja" de peso. Muchas personas incluso, ya propiamente no se visten, sino que esconden su sobrepeso detrás de la ropa. El criterio para vestirse no es cuál ropa es más bonita, sino con cuál se disimulan mejor las libras de más. El seleccionar ropa y vestirse se reduce a tener que enfrentar la profunda preocupación de: "¿Con cuál pieza puedo verme con menos libras?" Para estas personas, vestirse es la angustia de todos los días. Esta frustración, sin embargo, puede desaparecer si la persona toma la decisión definitiva de que no sólo se va a vestir con colores oscuros, sino que tendrá el peso saludable para poder escoger cualquier color (¡incluyendo el blanco!) y el estilo de ropa que más le guste.

Cada cual conoce su realidad y no tiene por qué continuar viviendo de ese modo. Por lo tanto, de una vez y por todas, rechaza el esconder tu cuerpo detrás de las telas. Comienza a lucir tu cuerpo con la ropa que te guste, desde un simple mahón a lo más elegante. No más elástico en la cintura, tela "stretch", chaquetas sin abotonar y, en el caso de los varones, pantalones muy debajo del ombligo, ya que ¡nunca cierran en la cintura!

Aunque cuidar tu salud debe ser la razón principal que te lleve a eliminar el exceso de libras, utiliza la motivación de la ropa para iniciar el proceso. Tu motivación y el plan de alimentación que te explicaré más adelante van a ser las guías que te llevarán a hacer realidad tu deseo de perder peso. Tu motivación y el estilo de vida que te presentaré en los próximos capítulos son los que construirán la llave que te permitirá entrar al mundo de la salud y de un peso saludable. Te aseguro que, al final, te darás cuenta de que no sólo te gustará cómo te ves en el espejo, sino que te encantará cómo te sientes contigo mismo(a).

CAPÍTULO 6

LA RESOLUCIÓN DE TODOS LOS AÑOS

¿Cuántas veces te has propuesto perder peso?

"Si vas a esperar a que todo en tu vida esté en orden para comenzar un plan de reducción de peso, posiblemente nunca lo harás. El mejor momento para hacerlo es simplemente cuando tú lo decidas, independientemente de las circunstancias".

LAS CONTINUAS "DESPEDIDAS" DE LA BUENA COMIDA Y LOS ETERNOS "COMIENZOS" DE LAS DIETAS Y LOS SACRIFICIOS

Una de las resoluciones que más la gente hace a principios de año es la de perder peso. Puedo estimar que más del 75% de las personas decide que en enero va a comenzar a cuidarse para bajar el exceso de libras. Como esta vez van "en serio", aprovechan el mes de diciembre para comer y comer porque tienen que primero ***despedirse*** de la buena comida para, luego en enero, comenzar con el ***sacrificio de la dieta***. Sin embargo, en realidad lo que muchos hacen es que toman muy en serio las ***despedidas*** (se dan permiso para comer de todo y en grandes cantidades), pero luego la resolución de perder peso les dura muy poco.

Empiezan la dieta en enero (por supuesto después de las octavitas) y ya en febrero tienen que dejarla porque llega "San Valentín". La celebración del Día del Amor es por un sólo día, pero es una "razón" para no seguir durante el mes con una dieta controlada en porciones y calorías. Después de la *despedida* de San Valentín (porque siempre hay que *despedirse* antes de volver a comenzar con una dieta para bajar de peso), en marzo, es el aniversario o el cumpleaños y, obviamente, son muy buenas razones para justificar el no continuar con el programa de reducción de peso. En abril, el estrés de las planillas y la ansiedad son realidades muy válidas para comer de más. En mayo, es la celebración de las madres y, aunque es de un día también, es suficiente para nuevamente abandonar cualquier tipo de dieta de reducción. En junio, es la celebración de los padres y en julio, son las vacaciones (¿quién en vacaciones va a cuidar lo que come?). Así se van los primeros 6 meses del año.

En agosto, es el regreso a la escuela de los(as) niños(as) y hay demasiado estrés para estar pendientes de controlar lo que se consume. En septiembre, la sola posibilidad de que llegue al país alguna tormenta ya hace que se devoren las latas de salchichas y el "corned beef". En octubre están las bolsas de dulces que los(as) niños(as) recogen en Halloween (con la complicidad de los padres) y que luego no saben qué hacer con ellas. En noviembre, es el Día de Acción de Gracias y empiezan a comer pavo y relleno y siguen hasta que llega diciembre. En este último mes comienzan las Navidades y, por supuesto, ya no hay ambiente para llevar una *dieta*. Además, ¿quién al finalizar el año va a cuidar su peso? Así que, vuelven a ***despedirse*** en diciembre porque en enero (y esta vez sí que es "en serio") van a comenzar a perder peso...

Si fuéramos a otorgar títulos universitarios a las personas que hacen dietas para perder peso, muchas tendrían maestrías y doctorados en esas carreras de toda la vida. Son muchos los que pasan gran parte de sus vidas "a dieta". En ocasiones te hacen la dieta de la luna o de la toronja, luego *Atkins*, después *South Beach*, luego son vegetarianos y finalizan con la dieta de la sopa o la de "los tres días". Son seudoexpertos(as) en nutrición y te hablan de cualquier novedad para perder peso. Sin embargo, a pesar de estar en constantes "dietas", no ven resultados significativos y permanentes. Las preguntas obligatorias son: ¿qué ha pasado?, ¿por qué no han logrado perder peso o mantenerlo?

¿POR QUÉ NO HAS LOGRADO PERDER PESO?

La realidad es que muchas de estas dietas funcionan, ya que pueden provocar una reducción en el peso. Sin embargo, el bajar libras no es lo único importante. Hay también que evaluar cuáles pueden ser perjudiciales, cuáles promueven la salud y cuáles ayudan luego a mantener el peso logrado. Además, existe otro problema y es que a la gente le encanta el comenzar una "dieta" para perder peso, pero lo que no le gusta es llevarla y sostenerla. Todos se entusiasman con la idea de que el primer día de cada mes o el lunes de cada semana van a comenzar a seleccionar mejor lo que comen con el interés de bajar libras. Sin embargo, el ánimo y el compromiso duran sólo 2 ó 3 semanas. Luego vuelven a los viejos hábitos de alimentación con cualquier excusa o razón aparente. Unos lo justifican porque iniciaron los pasos para un divorcio, algunos porque están en trámites de recibir una herencia, otros porque no han terminado la remodelación de la casa, la mayoría porque está en crisis económica y todos(as) **porque dejan de tener como prioridad en sus vidas el cuidar su salud y llegar a un peso razonable.**

La persona que constantemente inicia una dieta y no la sigue, antes de comenzar nuevamente, debe reflexionar profundamente sobre qué le ha pasado y por qué no ha logrado su meta. Debe analizar qué excusa se ha dado (o se sigue dando) para no llegar a donde quiere y qué realmente lo está deteniendo. Debe preguntarse cuántas veces se ha repetido la misma promesa de que para una fecha en particular o para algún evento especial estaría con 20, 40 ó 70 libras menos. Debe preguntarse, cuántas ocasiones especiales llegaron (la boda del hijo(a), el comienzo del nuevo trabajo, su cumpleaños, etc.) sin que bajara las libras que se había propuesto. ¿Cuántas veces lo ha intentado? ¿Cuántas?

Lo que más ilusiona a las personas para iniciar el proceso de perder peso es la idea de tomar la decisión de deshacerse de las libras de más y comenzar a escoger mejor los alimentos y las porciones. Estos cambios iniciales son importantes y determinantes (como en el inicio de cualquier relación de pareja). Sin embargo, no son suficientes para poder lograr el objetivo, ya que hace falta comprometerse con esa decisión y ***hacer lo que haya que hacer*** para lograr la meta. La mayoría de las personas se queda en la etapa romántica: la de comprarse las tenis y la ropa para hacer el ejercicio e incluso llegar a matricularse en algún gimnasio (que a veces pagan por meses y meses sin visitarlo). También se compran las tazas de medir los alimentos y hacen una extraordinaria compra en el supermercado, por supuesto, toda "light". Esta es la etapa de mayor entusiasmo, pero la más simple. Luego es que comienza en realidad lo más difícil (igual a cuando las parejas, después del romanticismo, se dan cuenta de que, además del amor, hay también grandes diferencias que enfrentar). El trabajo difícil comienza cuando hay que sacar el tiempo para hacer el ejercicio y para preparar los almuerzos indicados para llevarlos al lugar de trabajo, cuando hay que seleccionar con mayor detenimiento lo que comemos fuera de la casa y al decidir rechazar un plato que nos apasiona porque nos gusta más la idea de lograr bajar las primeras 20 libras. Es en esos momentos que se pone a prueba el compromiso con la decisión de perder peso y cuando muchos sucumben para luego volver a reiniciar todo el proceso.

Por eso, de hoy en adelante, ya no más ***despedidas*** y ***comienzos*** y no más ideas románticas a la hora de tomar la decisión de bajar libras. Sí, entusiásmate, pero acepta también que va a requerir de ti, trabajo, determinación, constancia y, sobre todo, compromiso. Un gran compromiso contigo mismo(a) para ***hacer todo lo que haya que hacer*** para que, esta vez, no sea un intento más, sino un proceso definitivo que te lleve a lograr el peso saludable que tú deseas, necesitas y mereces.

CAPÍTULO 7

COMIENZA CON LOS PRIMEROS PASOS

¿Qué hacer después de tomar la decisión? ¿Son los suplementos y las dietas novedosas las primeras opciones para perder peso?

"La oferta de toda pastilla, crema o producto que te asegure que vas a bajar de peso sin dieta y ejercicio es un engaño".

CÓMO DAR LOS PRIMEROS PASOS HACIA LA META DE LLEGAR A UN PESO SALUDABLE

En la lectura de los capítulos anteriores, te diste cuenta de que debes perder peso, entendiste por qué surge el aumento en libras y conociste que hay una relación entre la obesidad y distintas enfermedades. Luego, identificaste tu propia motivación y también reflexionaste sobre las muchas veces que a través de los años has intentado perder peso. Ahora, ya estás listo(a) para volver a intentarlo (y si no lo estás, no te preocupes porque a medida que sigas leyendo el libro empezarás a estarlo). Nuevamente vuelves a tomar la decisión de perder el exceso de libras y esta vez con la determinación de que sea para siempre. Tu decisión ya está hecha, ¡vas a perder peso! La pregunta que surge es: ¿cómo empezar?

PRIMER PASO: TOMAR LA DECISIÓN

En primer lugar, déjame felicitarte por la decisión de perder peso. El hecho de tomar esa decisión es, en sí mismo, un gran logro. ¿Por qué? Porque muchos caminan por la vida cargando el exceso de libras pero, aunque les molesta caminar con tantas libras de más, nunca llegan a tomar la decisión de bajarlas. Simplemente se acostumbran al sobrepeso y se conforman con arrastrar su exceso de libras. Así que, para alcanzar esa gran meta de lograr un peso saludable, ya has hecho un gran avance: reconocer que tienes un problema de sobrepeso y decidir resolverlo.

SEGUNDO PASO: ESTABLECER METAS REALISTAS

Lo próximo es planificar cómo vas a dar los siguientes pasos para que esta vez puedas equiparte con todas las herramientas que te aseguren llegar a la meta. Para eso lo primero que debes hacer es establecer metas realistas. ¿Qué significa esto? Lo que quiero decir es que, aunque tengas mucha motivación, no trates de perder en tres meses las libras que has aumentado en los últimos diez años. Entusiásmate con la idea de perder peso, pero a la misma vez, sé realista. Si tienes 40 libras o menos de sobrepeso puedes, por ejemplo, planificar el reducir el exceso de libras en los próximos seis meses. Sin embargo, si tienes más de 100 libras, el tiempo mínimo debe ser de un año.

Una reducción en peso sin riesgos a tu salud puede ser de entre 1 y 3 libras a la semana. Regularmente, las mujeres pierden entre 1 y 2 libras por semana y los hombres entre 2 y 3 libras. El ritmo con el que se pierda peso va a depender de varios factores: el sexo (los hombres pierden peso más rápido que las mujeres), la edad, el metabolismo y la actividad física. Lo importante no es, sin embargo, quién pierde peso más rápido, sino quién es más consecuente hasta llegar a la meta. ¿Por qué? No se resuelve mucho al perder 10 libras en un mes y cuidar la alimentación por los próximos dos meses para luego volver a los viejos hábitos y recuperar las libras perdidas. Es preferible ser conservadores y proponerte una meta de por lo menos bajar una sola libra a la semana. Eso implicaría, perder ¡52 libras al año! Es mejor bajar poco a poco 52 libras y no volverlas a ganar que perder 40 libras en 3 meses, recuperarlas, volver a bajarlas y, al fin y al cabo, comenzar otro año con 5 ó 10 libras más que en el año anterior. En realidad, no es importante cuánto tiempo te tardes en lograr la meta. Lo relevante es que, una vez comiences con tu nueva forma de alimentarte y tu nuevo estilo de vida, cada semana que pase estés más saludable y con menos peso, aunque sea 1 libra. Recuerda que, al fin y al cabo, sean 20 ó 100 libras, todas empiezan a perderse de la misma forma: ¡bajando la primera!

TERCER PASO:
EVALUACIÓN MÉDICA, EDUCACIÓN EN NUTRICIÓN Y ORIENTACIÓN EN EL EJERCICIO

Lo próximo que debes hacer es hablar con tu médico y comunicarle tu decisión de perder peso. Pídele que te haga una evaluación completa y que te ordene pruebas de laboratorio:

- lípidos en sangre (colesterol LDL, HDL y triglicéridos)
- glucosa en ayuna
- glucosa a las 2 horas (hay muchas personas que tienen niveles de glucosa normales en ayuna, pero que se elevan demasiado después de comer)
- panel metabólico (calcio, albúmina y otros)
- CBC (es necesario saber si la persona tiene anemia)
- urinálisis (es importante identificar si la persona está perdiendo proteína a través de la orina)
- análisis de la tiroides

Discute con tu médico si necesitas incluir también:

- niveles de homocisteína (son un factor de riesgo cardíaco)
- proteína C (mide el nivel de inflamación y riesgo de diabetes)

Pregúntale a tu médico si puedes hacer ejercicios y discute con él todas tus preocupaciones. Luego coordina con el laboratorio (hay personas que guardan la orden médica y jamás se hacen los exámenes) y tan pronto tengas los resultados, guarda una copia para la evaluación con el(la) nutricionista/dietista licenciado(a) y regresa a la visita de seguimiento con tu médico. Mientras tanto, ve haciendo la cita con el(la) licenciado(a) en nutrición para que te explique qué debes comer, en qué cantidades y a qué horas. También puedes ir visitando algún gimnasio para evaluar sus facilidades o considerar los servicios de algún entrenador(a) personal. Si decides comenzar los ejercicios por tu cuenta, por ejemplo, empezar a caminar, planifica a dónde los vas a hacer, qué días de la semana, a qué horas y por cuánto tiempo. Comunícale a las personas cercanas a ti tu decisión y pídeles el apoyo que necesites. Recuerda, sin embargo, que cuentes o no con la ayuda de ellas tu decisión está hecha y no importa lo que pase, vas a trabajar hasta lograr tu meta. De hecho, en realidad sólo se logra perder peso cuando ese deseo se convierte en un proyecto importante en tu vida. Hasta que tu deseo de perder peso no sea una prioridad en tu vida, sólo acariciarás la idea de lograrlo, pero no tendrás la determinación de **hacer lo que haya que hacer** para alcanzar tu objetivo.

Puede ser que la idea de visitar a un médico, hacerte pruebas de laboratorio, concertar cita con el(la) nutricionista y orientarte con un entrenador(a) personal te parezcan demasiadas cosas antes de empezar. Posiblemente pienses que es mejor comenzar ¡ya!, porque no tienes tiempo que perder ahora que has tomado la decisión. Tal vez, incluso, estés considerando correr a una farmacia o tienda de "health foods" para comprar cualquier pastilla o suplemento que te ayude a eliminar los "rollitos de grasa" y además, empezar con la dieta fabulosa que se publicó en alguna revista de modas o la dieta drástica que siguió tu amiga. ¡No lo hagas! Sé que puedes estar con mucho entusiasmo y desesperada(o) por bajar libras. Precisamente por eso, es que esta vez debes comenzar a hacer las cosas correctamente. En esta ocasión, vas a hacerlo de una manera distinta para que logres unos resultados diferentes.

Analiza de forma honesta, ¿cuántas veces has empezado del mismo modo recurriendo a dietas "novedosas", pastillas o suplementos para bajar el exceso de libras y después de perder peso vuelves a recuperarlo o simplemente gastas y gastas dinero sin ver los resultados que quieres? ¿Cuántas veces has comenzado de la misma forma y no has podido mantenerte más de tres meses? Son muchas las veces, ¿cierto? Por eso, te recomiendo que empieces bien desde el principio. Recuerda que ahora no estamos hablando de una "simple dieta" para seguirla por dos o tres meses, sino de un estilo de vida que te ayude a lograr un peso saludable para siempre. Ir al médico, hacerte pruebas de laboratorio, educarte con el(la) nutricionista y orientarte con un entrenador(a) personal es la forma correcta de adquirir las herramientas que necesitas para lograr una reducción en peso segura y permanente. Recurrir a pastillas, muchas de las cuales pueden hacerte más daño que bien o comenzar con dietas no supervisadas, no sólo pueden poner en riesgo tu salud, sino que la pérdida de peso casi siempre es temporal. Para que tengas una mejor idea de lo que te estoy señalando, examina la información sobre algunas de las dietas "novedosas" y los suplementos para perder peso que voy a presentarte.

DIETAS "NOVEDOSAS" PARA PERDER PESO

Existen muchas dietas "novedosas" que aparecen en revistas y programas de televisión que se presentan como fórmulas mágicas para lograr una reducción de muchas libras en una o dos semanas. Muchas de estas dietas también son promovidas por personajes famosos que las llevaron y a quienes les funcionaron, pero que no están validadas por estudios en nutrición. Sin embargo, a la mayoría de las personas le fascinan estas dietas porque ofrecen la "esperanza" de deshacerse del exceso de libras de una forma rápida. Por supuesto, la mayoría de las veces no se habla de mejorar la nutrición ni el estilo de vida y muchas de ellas te aclaran que no las debes seguir más de ciertos días ya que pueden resultar en detrimento a la salud (¿?). No obstante, tienen miles de fieles seguidores que están dispuestos a sacrificar su salud si se les asegura el perder peso.

Hay decenas de dietas anunciadas como que son las mejores: la dieta de la toronja, la de la sopa, la de la avena, la de las etapas de la luna, la que se basa en el tipo de sangre, la *South Beach*, la *Zone* y la *Atkins* con sus muchas modalidades. ¿Sábes qué? ¡Todas funcionan! Sí, con todas puedes perder peso ya que de una forma u otra hay una restricción en calorías, lo que te lleva a bajar libras. Lo que no se te aseguran es una permanencia del peso logrado o que con las mismas mejores tu salud.

Analicemos, por ejemplo, la dieta de la sopa más actualizada y renovada. Te recomiendan prepararte una sopa con muchos vegetales para todo el día (los vegetales son bien bajos en calorías y el caldo no tiene ninguna) para que la tomes cada vez que te dé hambre. Además de la sopa, podrás incluir en el día algunas frutas y 1 taza de leche o yogur sin grasa. Al quinto día, te recomiendan incluir el pescado o el pollo. Definitivamente, una alimentación de este tipo es muy baja en calorías, lo que te asegura que perderás peso, pero también puede ocasionarte deficiencias en vitaminas, minerales, ácidos grasos esenciales y proteínas. Además, también te puedo garantizar que tan pronto dejes las sopas y empieces a comer la comida regular volverás a recuperar las libras perdidas, ya que con esa dieta no habrás aprendido qué cantidades debes comer de los otros alimentos, cómo prepararlos y combinarlos.

Al igual que con la dieta de la sopa, el resultado de muchas de las dietas "novedosas" es que provocan una reducción de calorías y limitan la ingesta en las comidas a dos o tres grupos de alimentos. Si analizáramos cada una de ellas, podríamos identificar los puntos buenos, como el consumo de vegetales y frutas en la dieta de la sopa y los puntos negativos como los que anteriormente mencionamos. Aunque es interesante conocer los detalles de cada una de estas dietas, es más importante aún analizar de forma más profunda la dieta *Atkins*, ya que muchas personas la están llevando a pesar de las dudas sobre si trae beneficios o daños a la salud.

La dieta *Atkins* y sus modalidades promueven la eliminación de los hidratos de carbono (o una limitación estricta) y un alto consumo de proteínas y grasas. Este tipo de dieta se basa en solamente consumir fuentes de proteínas (carnes rojas, blancas, pescados, huevo, jamones, quesos) y en eliminar las fuentes de hidratos de carbono (panes, cereales, galletas, arroz, habichuelas, viandas, papas, pastas, frutas y vegetales). El razonamiento tras esta dieta es que si se elimina la fuente principal de energía (los hidratos de carbono) el cuerpo tendrá que utilizar las reservas de grasa. A continuación te presento los puntos positivos y los negativos de esta dieta.

PUNTO POSITIVO

1. Se eliminan los dulces, productos de repostería, productos de bolsitas y las gaseosas. Estos productos, definitivamente, no deben consumirse, ya que aportan muchas calorías y pocos nutrientes. De incluirlos, hay que hacerlo en pequeñas porciones y con poca frecuencia dentro de un plan alimentario saludable.

PUNTOS NEGATIVOS

1. Debido al alto consumo de proteínas, el cuerpo utiliza una mayor cantidad de líquidos, por lo que la reducción rápida de peso se debe en gran medida a la pérdida de líquido.

2. Se afirma como cierto que sólo el exceso de hidratos de carbono se almacenará en forma de grasas, lo cual es falso. Tanto el exceso de los hidratos de carbono como el de las proteínas y las grasas no se elimina, sino que se almacena en tejido adiposo.

3. La dieta presenta deficiencia en vitaminas, minerales, calcio y fitonutrientes (sustancias que principalmente se encuentran en los vegetales y las frutas y que tienen propiedades importantes en la prevención del cáncer y problemas cardiovasculares).

4. La pérdida de peso raras veces es permanente ya que tan pronto las personas comienzan a incluir los hidratos de carbono (sin haber aprendido cuáles son las cantidades correc-

tas) empiezan a ganar peso. Además, al haber estado tanto tiempo sin consumir las fuentes de hidratos de carbono, estas personas sufren el "efecto de rebote". No pueden controlar la ingesta de estos alimentos al volver a consumirlos, ya que han estado mucho tiempo sin comerlos.

5. Con esta dieta alta en proteína y sin hidratos de carbono (o muy poca cantidad), la persona puede también sufrir las siguientes complicaciones:

    - Acumulación de cuerpos cetónicos en la sangre (productos del metabolismo de mucha cantidad de grasas en ausencia de hidratos de carbono). Estas sustancias en sangre son las que producen un olor cítrico en la persona, quitan el apetito y pueden producir un estado de "shock" que requiera intervención médica inmediata.
    - Cansancio, hipoglucemia (nivel bajo de glucosa en sangre) y cambios de humor al afectarse la serotonina (sustancia que se produce en el cerebro)
    - Estreñimiento (debido a la deficiencia de fibra)
    - Osteoporosis, ya que las dietas altas en proteínas hacen que el cuerpo extraiga el calcio de los huesos y lo excrete a través de la orina
    - Formación de cálculos renales (piedras en los riñones), como resultado de un consumo elevado de proteínas
    - Nivel elevado de ácido úrico debido al metabolismo excesivo de proteínas
    - Sobrecarga en la función renal y complicaciones en las condiciones renales
    - Aumento en el riesgo de contraer cáncer (hay mucha proteína, gran cantidad de grasas y poca fibra)
    - Aumento en el nivel de colesterol (por las grasas saturadas y los alimentos altos en colesterol)

Como puedes ver, llevar una dieta para perder peso alta en proteínas y grasas con un bajo contenido de hidratos de carbono puede ser efectiva para bajar libras, pero igualmente perjudicial para tu salud. Para perder peso no tienes que recurrir a ésta ni a otras dietas que puedan poner en riesgo el estado de tu cuerpo. Perder peso debe ser un proceso en el que mientras bajes libras, ganes salud.

SUPLEMENTOS PARA BAJAR LIBRAS

Cuando las personas deciden perder peso y desean hacerlo de forma rápida, además de acudir a dietas drásticas también recurren al uso de suplementos. Estos suplementos, en su mayoría, sólo funcionan acompañados de dietas y ejercicios. Muchos de ellos pueden también tener efectos secundarios peligrosos, como las efedras y la combinación de efedras con cafeína. Estas sustancias, también conocidas como mahuang (efedra china), pueden producir en algunas personas dolor de cabeza, aumento en la presión arterial, incremento en el ritmo cardíaco y hasta ataques al corazón.

Otro suplemento que se utiliza frecuentemente es el picolinato de cromio. Éste se vende con el reclamo de que aumenta la masa muscular y baja la grasa, pero sus estudios presentan resultados controversiales sobre esta afirmación. Los beneficios mayores en el uso de este suplemento se ven cuando la persona presenta deficiencia de este mineral. Sin embargo, su seguridad actualmente se está debatiendo debido a que en algunos estudios con animales de laboratorios, el picolinato de cromio produjo daño al DNA (material genético) y anormalidades cromosómicas.

Para desarrollar la masa muscular también se venden otros suplementos. Uno de ellos es la creatina, que se mercadea fuertemente en la actualidad con el propósito de mejorar la masa muscular. La creatina es un compuesto nitrogenado que se encuentra en las carnes y los pescados y que también es sintetizado por el cuerpo (en el hígado, el páncreas y los riñones). Ésta se almacena mayormente en los músculos en forma de fosfato de creatina y es fundamental en el proceso de la producción de energía. Se ha encontrado que aumentando el almacenamiento de la creatina en el músculo, se incrementa la energía y se mejora el trabajo al hacer ejercicios de alta intensidad y corta duración, como el levantamiento de pesas. Hasta el momento se han encontrado pocos efectos secundarios, como los calambres y los desórdenes gastrointestinales.

La carnitina es también otro suplemento de gran demanda actualmente. Es un compuesto parecido a los aminoácidos (unidades que componen las proteínas) y se forma en el hígado y los riñones a partir de los aminoácidos lisina y metionina. La carnitina ayuda a transportar los ácidos grasos de cadena larga a la mitocondria (parte central de la célula donde se realiza la mayor actividad celular y la producción de energía). A través de este proceso, se espera que haya una utilización más rápida de las grasas como fuente de energía y una mayor pérdida de peso. La recomendación principal es en la forma L-Carnitina y se han visto buenos resultados cuando se combina ésta con un programa de dieta y ejercicios de resistencia, aunque son necesarios más estudios.

En su mayoría, éstos y otros suplementos sólo tienen efectos positivos cuando se combinan con una buena alimentación y un programa estrucurado de ejercicios. Si no incluyes la alimentación balanceada y el ejercicio, no importa cuántos potes de suplementos tomes, ¡no verás ningún resultado positivo! Además, muchas de las compañías que producen estos suplementos, al no estar reglamentadas por la Administración de Drogas y Alimentos, no aplican estrictos controles de calidad. La ausencia de controles o estándares en la producción de muchas de estas pastillas para perder peso ha llevado al problema de variaciones en el contenido de los ingredientes en las tabletas o cápsulas de un mismo suplemento.

Así que, aunque algunos de éstos y otros suplementos puedan ser esperanzadores para ayudar a tratar la obesidad, te invito a empezar por lo que sí está comprobado que es efectivo y no tiene efectos secundarios negativos: una alimentación balanceada moderadamente baja en calorías y un programa de ejercicios.

CAPÍTULO 8

DIETA
VS.
CIRUGÍA COSMÉTICA

¿Se puede resolver el problema de la obesidad simplemente con una liposucción o una abdominoplastía?

"La cirugía cosmética puede ser el retoque final después de llegar a un peso saludable, pero jamás es el comienzo del proceso de perder peso".

¿ES MEJOR SOMETERSE A UNA INTERVENCIÓN QUIRÚRGICA QUE HACER DIETAS Y EJERCICIOS?

Con la euforia actual por las cirugías cosméticas, muchas personas piensan que es mejor una intervención quirúrgica (aunque se gaste mucho más dinero) que pasar meses en una dieta de reducción de peso y haciendo ejercicios. A esas personas (y tú sabrás si estás entre éstas) les tengo malas noticias: ¡la liposucción y la abdominoplastía no son para perder peso!

En realidad, estos procedimientos cosméticos son para terminar de esculpir el cuerpo, una vez la persona haya llegado a un peso saludable o esté muy cerca del mismo. Con la liposucción hay una remoción de depósitos de grasa en distintas áreas del cuerpo que a veces, aunque la persona esté en un buen peso, se hacen difíciles de eliminar con el ejercicio. De igual forma, con la abdominoplastía se quita cierta grasa pero, sobre todo, se corta piel y se "estiran" los músculos del abdomen. Este procedimiento es muy recomendado para la persona que ha perdido muchas libras y también cuando a pesar de los ejercicios abdominales, ya sea por los embarazos o las cesáreas (en el caso de las mujeres) o por la particularidad anatómica de la persona, el vientre se mantiene abultado, flácido o distendido.

He visto el trabajo de varios cirujanos y admito que en ocasiones los resultados son impresionantes, pero como toda intervención quirúrgica, conlleva ciertos riesgos y posibilidades de complicaciones. Además, si vas a un cirujano responsable, desde la primera entrevista te dirá que la cirugía no es para bajar libras y que para minimizar riesgos y aumentar posibilidades de éxito deberás estar en el mejor peso posible.

Por otro lado, también hay que señalar que, por lo general, los resultados de la liposucción o de la abdominoplastía no son para siempre. Lamentablemente, después de estos procedimientos muchas personas suben de peso y aumentan marcadamente los depósitos de grasa en otras partes del cuerpo y echan a perder parte del logro obtenido con el trabajo del cirujano.

Por tal razón, aunque pienses someterte a una de estas intervenciones, empieza a cuidar tu cuerpo con una dieta balanceada que te permita llegar a un peso saludable y luego te ayude a mantener el peso logrado. De igual modo, comienza con un programa de ejercicios, no sólo porque deseas bajar libras, sino porque es parte de un estilo de vida para mejorar la salud en general. De esta forma, si finalmente decides que necesitas alguno de estos procedimientos, el cirujano podrá hacer un mejor trabajo con menos riesgos. Además, tendrás los buenos hábitos de alimentación y de los ejercicios que ayudarán a que el procedimiento tenga mejores resultados y que las mismos sean permanentes.

Recuerda también que para perder el exceso de libras y luego mantener el peso logrado, además de los hábitos de alimentación y del ejercicio, es importante atender el aspecto emocional. Los factores psicológicos tienen una relación muy estrecha con los problemas de la obesidad. En los próximos capítulos, discuto estos aspectos para que, con la ayuda de una intervención quirúrgica o sin la misma, logres y mantengas tu peso saludable.

CAPÍTULO 9

EL ASPECTO EMOCIONAL

VIGILA TU ESTADO EMOCIONAL

"¿Por qué como en exceso si quiero perder peso?"

"Cuando deseas algo, pero caminas en la dirección contraria a donde se encuentra lo que quieres es difícil llegar a obtenerlo. Los pasos que des para alcanzar tu meta deben ir siempre en la misma dirección de tu objetivo".

EL ESTADO EMOCIONAL Y EL SOBREPESO

Hace muchos años, en una ocasión, había pasado un mal día y estaba muy triste. Al comentarlo con un amigo, él reaccionó diciéndome: "¿Qué tú crees si haces una de estas dos cosas que te voy a decir? ¿Por qué no te vas al cine, te compras una bolsa grande de *popcorn*, un refresco y unos chocolates y ves cualquier película? Si no quieres ir al cine, vete a un *fast food*, te compras un combo agrandado y luego vas a una buena tienda de mantecados y te compras un vaso grande con mucho sirope de chocolate. Tú lo que tienes es un bajón de grasa y comida".

En ese momento, me reí bastante. Sin embargo, luego comencé a analizar si lo que él me había sugerido no era lo mismo que muchas personas hacen. (Por cierto, él estaba obeso). Ante los sentimientos de tristeza, frustración, estrés o coraje, muchas personas simplemente se refugian en los alimentos. La comida consuela a estas personas de la misma manera en que una galletita consuela a un infante en llanto. De esta forma, no hay análisis y sí un escape o alivio, aunque sea momentáneo, ante la situación que se experimenta. Como en esta sociedad llorar se ve como un símbolo de debilidad y pérdida de autocontrol (hay que ser fuertes y estar en control siempre), es mejor comer, comer y junto con los alimentos tragarse los sentimientos. La comida se convierte entonces, en un bálsamo para los sinsabores de la vida.

Canalizar estos estados anímicos a través de la ingesta de alimentos resuelve temporalmente la situación de angustia. Sin embargo, genera otro problema en un círculo vicioso: la obesidad. ¿Por qué? Cuando la persona se deprime, come más y aumenta de peso. El ganar libras, a su vez, produce más estrés y ansiedad, lo que lleva a la persona a volver a comer más y, por lo tanto, a seguir aumentando de peso. De este modo, la comida que inicialmente funcionaba como alivio sustituto a los estados emocionales negativos se convierte entonces en un problema permanente. O sea, que lo que funcionaba como un remedio se convierte luego en la causa de un problema mayor. Aunque hay que aclarar que no todas las personas responden de la misma forma (a algunos, por el contrario, se les quita el hambre), sí hay un gran número de personas que abandonan todo tipo de dieta de reducción de peso ante situaciones de mucho estrés. Es por eso que frecuentemente vemos un aumento significativo en libras en una persona después de situaciones como los problemas amorosos, conflictos en el trabajo o enfermedad de alguien muy cercano.

Por otro lado, es igualmente importante señalar, que estos estados emocionales de estrés, coraje, tristeza y otros, que llevan a algunos a comer más pueden ser las consecuencias de experiencias reales que esté viviendo la persona (como inestabilidad en el trabajo o conflictos con la pareja, etc.), pero también pueden ser el resultado de un deseo inconsciente de *boicotear* el proceso de perder peso. Se sabe que hay personas que, aunque conscientemente desean perder peso, una vez comienzan a lograrlo empiezan a detenerlo por razones psicológicas. En algunas personas, los motivos psicológicos pueden estar presentes sin que ellas se den cuenta y sin que los entiendan. En otras, puede haber una comprensión parcial de los conflictos emocionales. Esta realidad se ve, por ejemplo, en el caso de algunas mujeres que han sufrido la experiencia de una violación y luego de la misma comienzan a aumentar de peso. Para ellas, el estar obesas se convierte en una forma de proteger sus cuerpos de una futura violación, ya que así han dejado de ser atractivas. Por supuesto, este proceso se da sin que la persona lo tenga claro o esté consciente de lo que le está ocurriendo y aunque está lejos de la realidad (la violación no tiene que ver con el atractivo de la mujer, sino con la enfermedad mental del violador), esta interpretación en el subconsciente puede detener en ella todo intento de lograr un peso saludable.

En mi oficina, he tenido la oportunidad de trabajar con casos de este tipo y parecidos. Aunque son muchos, puedo mencionar, por ejemplo, el caso de una mujer que ya muy cerca de su peso saludable, comenzó a aumentar libras. En una de las visitas me confesó que, aunque deseaba seguir bajando libras, no lo iba a hacer ya que siempre que llegaba a estar delgada su esposo la presionaba para que usara diminutos trajes de baño frente a sus amigos cuando estaban en la playa. Esta situación la hacía sentir muy incómoda con ella misma, su esposo y sus amigos. Ella había encontrado que la forma de evitarlo era aumentando de peso, ya que así su esposo no la exhibiría y, como ella me dijo: "Me dejaría en paz".

En otra ocasión, una joven que siempre había estado con libras de más y ya estaba cerca de un peso adecuado, detuvo el proceso y comenzó a aumentar. Ella me expresaba que le asustaban los piropos de los hombres y que no sabía cómo funcionar al estar atractiva. La paciente necesitó ayuda psicológica para enfrentar su timidez, su falta de asertividad y su temor a la intimidad sexual. De modo similar, en otra ocasión una mujer de mediana edad y obesa bajaba y subía de peso constantemente. Aunque ella sabía qué debía comer, no lo hacía. Según ella, si bajaba de peso, con las libras se iría su matrimonio. Su obesidad era una forma de mantener su relación de pareja. Ella entendía que si finalmente bajaba de peso tendría que tomar una decisión respecto a su esposo. Estaba utilizando su obesidad para alejar a su marido y limitar la intimidad sexual. En el fondo, ella deseaba una ruptura, pero no tenía el valor de decidirlo. Por lo tanto, ella mantenía el sobrepeso y dejaba pasar el tiempo con la esperanza de que algún día él se cansara de la situación y terminara la relación.

Como has podido ver, la obesidad puede estar en algunos casos profundamente ligada a delicados conflictos psicológicos. Las personas pueden utilizar el sobrepeso como una medida para no atender asuntos personales, no tomar decisiones, autocastigarse, castigar a la pareja, mantener un aislamiento y para muchas otras cosas. En la mayoría de estas situaciones, la intervención profesional psicológica es de mucha ayuda y es necesaria. Sin embargo, una forma sencilla de desligar la comida de los estados emocionales y de motivaciones ocultas para estar en sobrepeso es la de aprender a distinguir lo que es hambre real y lo que es ansiedad por comer. Saber hacer esta simple distinción es el primer paso para reaprender nuevos patrones de conducta y es determinante para poder lograr el objetivo de un peso saludable.

HAMBRE REAL VS. ANSIEDAD POR COMER

El hambre es una respuesta interna del organismo ante la necesidad de consumir alimentos. Es un mensaje que se registra en el cerebro, principalmente en el área del hipotálamo. También el hambre se regula por la acción de algunas sustancias, como la hormona leptina, que se ha encontrado disminuye el hambre y la hormona orexina, que aumenta la necesidad de comer. Aunque existen otros mecanismos en el cuerpo que influyen en la producción del hambre, lo importante es reconocer que el hambre es un recurso fisiológico del organismo como medio para mantener la vida. Si no nos diera hambre, no comeríamos y moriríamos por la falta de los nutrimentos que ofrecen los alimentos.

Por otro lado, existe la "ansiedad por comer", que se presenta como un deseo intenso por consumir ciertos alimentos sin tener hambre real. Es más bien una respuesta psicológica que lleva a una urgencia por ingerir algunos alimentos en cierto momento en el día. Casi siempre ocurre en la noche, cuando la persona está sola o en la intimidad del hogar. De hecho, muchos pacientes me comentan: "Yo estoy muy bien con la dieta hasta que llego a mi casa. Ahí, no sé qué me pasa que me descontrolo y, aún después de cenar, sigo rebuscando en la cocina, aunque no tenga hambre".

Una forma sencilla de distinguir entre el hambre real y la ansiedad por comer es la de esperar 15 minutos antes de acceder a la urgencia de comer. Cuando es hambre real y se sigue esperando por la comida, se comienza a sentir contracciones estomacales (sensación de "dolor en el estómago"). Por el contrario, cuando es ansiedad, al pasar los 15 minutos el deseo desaparece. La ansiedad se presenta por picos y luego de varios minutos comienza a desaparecer.

Así que, la próxima vez que sientas el deseo de comer, pregúntate si es hambre real (proceso fisiológico) o ansiedad por comer (respuesta psicológica). Detente, reflexiona y decide que vas a darte 15 minutos de espera. Escribe y anota detalladamente los pensamientos que vienen a tu mente en esos momentos y que están generando tu estado de estrés, tristeza o ansiedad. Toma un vaso de agua, haz varias respiraciones profundas (con los ojos cerrados) y comienza a analizar tus pensamientos. Si no estás receptivo(a) al análisis, simplemente comienza a distraerte con otra actividad como escuchar música, leer, hacer una llamada telefónica o cualquier otra cosa de tu interés. Al terminar los 15 minutos, pregúntate si todavía sientes la necesidad de ir a la nevera y devorar una pinta de mantecado o si ya la urgencia de comer cesó. Si ya no sientes la necesidad de comer, toma otro vaso de agua y retírate a dormir. (Así evitas que vuelva a aparecer otro episodio de ansiedad por comer). Si todavía sientes deseos de comer, simplemente acepta darte un banquete de alimentos bajos en calorías.

PLANIFICA TU "BANQUETE" DE COMIDA SIN QUE SE AFECTE TU PLAN DE REDUCCIÓN

Para satisfacer la ansiedad con un "banquete" de comida puedes preparar una bandeja con tres vasos de gelatina sin azúcar, una botella de alguna bebida baja en calorías y alguna fruta. Si lo deseas, puedes sustituir la fruta por media taza de cereal con 4 onzas de leche baja en grasa. (La leche contiene triptófano, que es un aminoácido que aumenta la producción de la serotonina, un neurotransmisor que produce relajación y calma). Siéntate (no se debe comer de pie) y que nadie te interrumpa mientras comes. Observa la comida y mastica 15 veces antes de tragar. Puede ser que antes de terminar con todos los alimentos ya no desees seguir comiendo. De todos modos, si ingieres todo tu "banquete", de seguro que estarás tan satisfecho(a) que no habrá oportunidad para que surja nuevamente (por lo menos esa noche), el "hambre psicológica". Posiblemente sientas que has *roto* la dieta, pero el consumir sólo alimentos bajos en calorías no te afectará y continuarás perdiendo peso. Sin embargo, si el "banquete" o "atracón" de comida es con alimentos altos en calorías como los dulces, los postres, los productos salados o altos en grasa y otros, te vas a exceder en las calorías. Comenzarás a recuperar las libras perdidas y regresarás al mismo círculo vicioso. Debes evitar los atracones de comida, pero en lo que vas desarrollando destrezas de autocontrol, date permiso para un "banquete" bajo en calorías.

A medida que te haces consciente de tus pensamientos y sentimientos, vas a aprender nuevos patrones de conducta que te lleven a comer solamente cuando tengas hambre real. El reconocer día a día el "hambre psicológica" es un punto de mucha importancia para lograr el éxito en la meta de perder peso, ya que gran parte del problema de la obesidad se debe a la canalización de los estados anímicos a través del consumo de alimentos. Incluir en la rutina diaria formas y válvulas de escape saludables como el ejercicio, la terapia con música, la meditación y otras, es un modo efectivo de lidiar con los estados emocionales para así evitar recurrir a la comida. Es importante que siempre recuerdes que la comida es para satisfacer la necesidad del estómago y no para calmar los pensamientos y los sentimientos.

CAPÍTULO 10

APRENDE A QUERERTE CON LOS "ROLLITOS" DE GRASA

No hay nada más importante que el amor propio.

"No esperes a llegar a la meta para amarte y comenzar a ser feliz; empieza a quererte y a sentir la felicidad desde ahora mismo".

ÁMATE AUN CON "LOS ROLLITOS" DE GRASA

Muchas personas piensan que van a lograr la felicidad cuando alcancen aquello que desean. El objetivo puede ser un título, un puesto, una casa, una relación personal u otra cosa. Así siguen privándose de la felicidad hasta que logran tener lo que quieren. Sin embargo, una vez se cumple la meta, vuelven a aspirar a otro objetivo y, por lo tanto, nuevamente posponen la felicidad.

Cuando se habla de la obesidad y los deseos de llegar a un peso saludable, muchas veces también ocurre lo mismo. Si se tienen 10, 50 ó 100 libras de más surgen los sentimientos de tristeza, de depresión o, como me dijo en una ocasión una paciente: "Me siento miserable". Se piensa que con esas libras extras se tiene el "derecho" y la "justificación" de "sentirnos que valemos poco y que no merecemos la felicidad en distintas áreas de nuestra vida". Esa infelicidad se permite con la esperanza de que luego, al bajar todas las libras que se desea perder, va entonces a surgir la felicidad. ¿Qué sucede? En primer lugar, existe el riesgo de que si no se logra la meta propuesta jamás se alcanzará la felicidad. Y, en segundo lugar, que si ésta se alcanza se empieza a ser feliz sólo al llegar a la meta y, mientras tanto, ¡se sufre todo el proceso!

En general, a todos(as) nos gusta la idea de tener un peso "ideal" y un cuerpo proporcionado. (De igual modo, la mayoría quisiera pegarse en la Loto). Sin embargo, no se debe esperar a pesar "X" libras para empezar a quererse y aceptarse (tampoco se puede esperar a ser ricos para comenzar a ser felices). El ser humano tiene un cuerpo físico, pero es mucho más que eso. Las personas tienen un espíritu, una mente, unos sentimientos, unos valores, unas conductas y actitudes que van más allá del cuerpo físico. Por lo tanto, es un disparate y una tontería pensar que el valor de una persona depende de cuán cerca se esté del "peso ideal" y de las medidas perfectas. Cada persona es única y valiosa en sí misma como para que ese valor sólo se le reconozca por su peso.

Esta posición no significa que aquél que esté en un estado de obesidad deba quedarse ahí y no hacer algo por mejorar al asumir la actitud del que dice: "Acéptenme así; no hay nada que hacer y no asumo ninguna responsabilidad". Lo que en realidad estoy planteando es que si una persona sufre de sobrepeso debe aspirar y proponerse como objetivo el llegar a un peso saludable. Pero, no va a esperar a llegar a la meta para valorarse, quererse, aceptarse y disfrutar de su propio cuerpo (incluso verse y sentirse atractivo). Más bien, por el amor que le tiene a su propio cuerpo, desde el momento presente es que va a proponerse perder peso y mejorar su estado de salud.

ACEPTA Y VALORA TU CUERPO

Así que, si algún día te has referido a tu físico de forma despectiva y si has estado disgustado(a) con tu cuerpo y crees que es "horrible", comienza por disculparte con él... ¿Por qué? Si alguna vez te has sentido rechazado(a), sabes lo mal que se siente al pasar por esa experiencia. ¿Cierto? ¡Pues imagina lo que debe sentir tu cuerpo si su propio dueño lo rechaza! Es como si él cargara todos los días de su vida a su peor enemigo: ¡tu propia mente! Por eso, de ahora en adelante, aunque tu cuerpo no sea perfecto o esté muy lejos de serlo, comprende que es único y valioso porque es el tuyo. Libera tu mente de esos pensamientos negativos y estructura nuevas ideas acerca de tu físico.

Desde hoy, examina, acepta y ama cada parte de tu cuerpo tal como esté. Puedes comenzar con tu cara (aunque tus mejillas reflejen las libras de más). Recuerda y valora lo que ella es como lo que más te identifica, "tu rostro". Ahí se encuentran tus ojos quienes te dan el privilegio de ver todos los días. Está tu nariz, que lleva la vida a tu cuerpo a través del oxígeno. También está tu boca, con la que brindas tus sonrisas, expresas las palabras de aliento, regalas los besos que das a tus seres queridos y con la que consumes los alimentos que nutren tu cuerpo. Luego, sigue con tu cuello, tus brazos y tu pecho. Aunque tus brazos sean gruesos y tu pecho muy ancho,

ESPEJITO... ESPEJITO
¿VERDAD QUE SOY LA MAS BELLA
¿ A PESAR DE MIS ROLLITOS?
ARTURO YEPEZ

date un abrazo a ti mismo(a) y da las gracias porque éste es el inicio de una mejor relación con tu cuerpo. Agradece también porque en tu pecho guardas tu corazón, órgano principal para la vida y refugio metafórico de tus más profundos y hermosos sentimientos.

Detente en el abdomen y aunque tu cintura sea mucho más ancha de lo que tú quisieras que fuera, da gracias porque ese es el centro que sostiene tu cuerpo. Además, fue a través del ombligo (que tal vez ahora no te gusta), que se te dio vida en el vientre de tu madre y cortando el cordón umbilical fue que se inició tu vida independiente. Luego, pasa a tus caderas, tus muslos y tus piernas y, a pesar de que tengan una proporción mucho mayor de la que tú quisieras, da gracias porque, sean como sean, te permiten ir caminando por la vida.

Cuida tu cuerpo, atiéndelo, acéptalo y quiérelo tal como es. A la misma vez, comprométete a protegerlo y a quitarle de encima las muchas libras que tiene que cargar en exceso. Es una forma de expresarle tu amor. Es un modo de decirte lo importante y valioso(a) que eres tú para ti mismo(a).

CAPÍTULO 11

EL PERDER PESO NO TE GARANTIZARÁ LA FELICIDAD, PERO TE AYUDARÁ A LOGRARLA

El impacto del sobrepeso en todas las áreas de tu vida

"No pospongas tu felicidad hasta llegar a un peso saludable. Comienza a disfrutarte el proceso de perder peso desde el principio y toma la decisión de sentir la felicidad en todo momento".

En su mayoría, las personas que sufren de obesidad viven pensando que cuando lleguen a un peso saludable sus vidas cambiarán y ¡por fin, serán felices! Esta idea y actitud se parece a la novela de amor en la cual la pareja, después de superar los tantos obstáculos, al fin se casa y es feliz para siempre... Claro, todos sabemos que eso no es cierto y que, posiblemente, después de casarse comenzarán otros problemas inevitables que tienen que ver con la convivencia diaria en esa nueva forma de vivir en intimidad total con otra persona.

De igual modo sucede con el perder peso. Después de superar tantas dificultades y retos se puede tener la idea de que "si al fin logro el *peso ideal*, definitivamente seré feliz para siempre". Esta es una idea romántica que encierra cierta verdad, pero también una fantasía. El bajar libras y llegar a un peso razonable te va a ayudar en todos los aspectos de tu vida, mas de ninguna forma te garantizará la felicidad. La felicidad en sí misma no tiene que ver tanto con las libras que pesas, sino con lo que ***pesa*** en tu corazón y en tu mente. Es decir, que a pesar de que es importante reconocer que el sobrepeso impacta todas las áreas en tu vida, la felicidad en sí misma no depende de lo que diga la báscula, sino de las actitudes que tengas hacia ti mismo(a). Si no me crees, mira a tu alrededor y observa cuánta gente hay delgada y sin felicidad.

Por supuesto, el adelgazar te va a ayudar en todos los aspectos de tu vida, desde las simples actividades diarias como: amarrarte los zapatos, sentarte en las butacas de un cine, entrar y salir del auto, acostarte en la noche y levantarte en las mañanas, hasta las más difíciles. También influirá en la manera en que te proyectas frente a los demás y en tu autoestima. El perder peso igualmente va a impactar las relaciones interpersonales, de pareja y la relación contigo mismo(a). Recuerda, no obstante, que aunque puedas lograr muchos beneficios en tu vida al perder el exceso de libras, tener la creencia de que al llegar al *peso ideal* aparecerá la *felicidad total y eterna* es una fantasía.

Es importante que desde el principio comprendas esta realidad, ya que muchas personas viven muchísimos años atribuyéndole a la obesidad la falta de amor, de éxito o de felicidad. Muchas de ellas pasan su vida imaginando todo lo que van a vivir y todo lo que se les va a resolver cuando se deshagan de las 20, 60 ó 100 libras que tienen de más. Incluso, viven "haciendo dietas" y esa es la única forma de existir que conocen. Pasan años posponiendo su presente, viviendo en ese futuro de cuando sean delgados(as). Sin embargo, posponer la felicidad hasta esperar a tener un peso saludable es un error. El sentimiento de bienestar, aunque se manifiesta muy positivamente cuando la persona está en un buen peso, tiene que ver más con las construcciones mentales que tiene la persona que con el exceso de libras.

Por lo tanto, no debes esperar a llegar a tu meta para comenzar a ser feliz. Aprende a ser feliz siempre y en cada momento. Por supuesto, aplaude cada esfuerzo que hagas por mejorar tu peso y tu salud. Alégrate de cada logro por pequeño que sea. Desde el poder abotonarte el pantalón hasta no tener que pedir una extensión para el cinturón de seguridad en el avión. Sonríe si al conducir tu auto, tu abdomen ya no choca con el guía, si la gente no te mira mal al entrar a un ascensor y si ya no se te hinchan tanto los pies. Disfruta al encontrar ropa que te quede bien y llénate de satisfacción cuando tus resultados de las pruebas de laboratorio de glucosa y colesterol mejoren. ¡Celebra el sentirte más liviano(a), con más energía y, sobre todo, más a gusto contigo mismo(a)! Recuerda, sin embargo, que mejorar tu peso es sólo un aspecto de los muchos en los que hay que trabajar para lograr la felicidad.

CAPÍTULO 12

LAS RECAÍDAS EN EL PROCESO DE PERDER PESO

¿Qué hacer cuando "rompes" la dieta?

"Salirte de la 'dieta' es como estar caminando y tropezar. Sin embargo, el tropezar no tiene por qué llevarte al piso. Así que, si 'tropiezas' al romper el patrón de tu alimentación saludable, busca el apoyo para no caerte y simplemente, ¡sigue caminando!".

QUÉ HACER CUANDO PIERDES EL CONTROL Y LA TENTACIÓN TE VENCE

Un problema frecuente que se presenta al llevar un plan alimentario para adelgazar es cuando por alguna razón se "rompe" la *dieta*. En la mayoría de los casos la persona se siente tan mal consigo misma que esos sentimientos la llevan a seguir "rompiendo" la dieta. El análisis que hace es el siguiente: "Me siento tan mal por haberme salido de la dieta que entonces termino por dejarla totalmente". De este modo, si en un principio "rompe" la dieta con dos galletitas dulces, termina comiéndose el paquete completo. Además, cuando llega a la casa, come lo que aparezca y termina la noche con tres tazas de mantecado "light" (¡para no engordar tanto!).

El sentimiento de fracaso es poco tolerado por la mayoría y cuando después de seguir muy bien la selección de alimentos y el control de porciones, si por alguna razón se rompe ese patrón, se desencadena tanta frustración que es difícil manejarla. El sentimiento de angustia proviene mayormente de los pensamientos que la persona tenga de sí misma. Por ejemplo, piensa:"Si rompí la dieta ya no sirvo; no lo voy a lograr, soy una persona sin voluntad. No merezco seguir adelante, no vale la pena que continúe..." Así que, ¡vuelve a comer! Por supuesto, el comer nuevamente hace que aumente de peso y en efecto valida lo que ha pensado de sí misma. ¡Hasta aquí! ¡Ya no más!

Para poder modificar esa conducta y esos sentimientos es necesario empezar a cambiar los pensamientos. Por ejemplo, si en algún momento "rompes" la dieta consumiendo algún dulce o una porción mayor de comida, antes de comenzar a desencadenar todos los pensamientos negativos, ¡detente y empieza a comprender lo siguiente! En primer lugar, eres un ser humano y está bien que en algunos momentos tengas debilidades y pérdidas de controles (¡acabas de aceptar tu humanidad!). En segundo lugar, ese "desliz" no determina quién tú eres, sólo muestra una acción tuya en un momento dado. Por lo tanto, no puedes llegar a la conclusión de que no sirves o de que no vas a lograr tu meta. Recuerda que el hecho de que una persona haga una tontería en un momento dado no significa que sea tonta (incluso puede ser muy inteligente). Además, no siempre hay que actuar de forma perfecta (aun los que creen que casi lo son). Si cambias tu forma de pensar, te sentirás mal y reconocerás que no debiste hacerlo, pero no tendrás unos sentimientos de culpabilidad tan intensos como para abandonarlo todo y correr a asaltar la nevera.

RECUPERA EL CONTROL ANTE LAS DEBILIDADES

Por ejemplo, si perdiste el control en la tarde comiendo algún dulce o una galletita, recuerda que puedes volver a establecer la selección adecuada de alimentos para la cena y en la noche. Si el "desliz" fue en la cena, decide volver al control por la noche y, si fue antes de acostarte, ¡no importa!, mañana lo harás mejor. Lo fundamental es que no pienses que para volver a empezar tienes que "tocar fondo" y arrasar con todo lo que haya en la cocina (ese pensamiento te lleva a querer arruinarlo todo). Además, comprende que no se trata de "volver a empezar", sino de continuar con tu programa de reducción de peso. Para ayudarte a detener ese deseo de seguir comiendo, puedes aprender a decirte lo siguiente:

- No tengo que comerlo todo hoy. Mañana puedo volver a comer.
- ¿Qué tal si espero a mañana por lo que quiero comer ahora?
- Mañana me comeré lo que quiera, hoy no.
- No tengo que comer hoy; mañana es otro día y podré hacerlo.

En una ocasión, tuve un amigo que cada vez que cometía

¡NO! ¡AUMENTÉ 3 LIBRAS!
LA PICADERA Y LOS TRAGOS DEL VIERNES
LAS EMPANADILLAS DEL DOMINGO
EL BIZCOCHO DE AYER
ARTURO YEPEZ

un error me decía, "Mala mía" y eso era todo. Para él, esa simple frase contenía la admisión de que se había equivocado y la resolución de que eso no volvería a ocurrir. Al principio yo no tenía eso claro y, por supuesto, quería explicaciones y una disertación completa del por qué, el cómo, el análisis de sus sentimientos y ¡un plan detallado de cómo iba a comprometerse para que eso no volviera a ocurrir! Él simplemente contestaba: "¿Para qué tanto análisis? Ya lo reconocí y ya te dije que no va a volver a ocurrir. Eso es lo importante, ¿no?" Es cierto, en algunas circunstancias, más importante que la reflexión profunda es simplemente cómo decidimos actuar. De igual modo, en el momento en que te salgas de la "dieta", lo más importante no es el análisis (que ya podrás hacerlo más adelante). Lo relevante es que no te sientas tan mal como para dejarlo todo. Simplemente, reconoce que no fue tu mejor decisión (si te funciona, recurre al "mala mía") y ¡continúa!

Decidir perder peso y comenzar a lograrlo es como aprender a caminar, pero en el mundo de la salud, del autocontrol y del amor propio. Aprender a comer y seguir una dieta para adelgazar es igual que aprender a caminar. Si has visto a un niño cuando da sus primeros pasos, reconocerás su torpeza y su falta de balance al caminar. Caminará dos pasos y se detendrá o se caerá al suelo. Sin embargo, jamás le dirías: "Qué torpe eres". Tampoco se te ocurriría pensar que como no ha dado diez pasos al comenzar a caminar, de seguro no va a aprender a hacerlo. Más bien, lo que haces es que aplaudes su esfuerzo para que gane confianza y siga intentándolo.

¿Sábes qué? ¡Tú estás en la misma aventura! Aprendiendo a caminar buscando un balance, no en tus piernas, sino en el mundo de la nutrición. Poco a poco desarrollarás las destrezas para no tener que recurrir a la comida para consolarte. Paso a paso adquirirás el conocimiento para saber qué alimentos nutren tu cuerpo sin engordarlo y qué cantidades o porciones son las adecuadas para lograr un estilo de vida saludable. Por lo tanto, trátate del mismo modo en que apoyarías a un niño(a) que está aprendiendo a caminar. No te concentres en las caídas que tengas, sino en los dos o tres pasos que hayas logrado dar y ¡sigue adelante! Reconoce tus esfuerzos y si nuevamente te caes, simplemente vuelve a levantarte. Con el tiempo verás que, como todo niño(a), no sólo superarás la etapa de caminar, sino que cuando menos te lo imagines, ya habrás aprendido ¡a correr!

CAPÍTULO 13

¡ALÉJATE DE LOS PELIGROS!

Evita las situaciones de riesgo, las horas de mayor peligro y los alimentos "detonadores".

"Mientras no tengas las destrezas del autocontrol, es mejor que evites enfrentar las tentaciones".

APRENDE A PREVENIR LAS TRAMPAS Y LAS TENTACIONES

En el capítulo anterior, te presenté la actitud que debes asumir y lo que hay que hacer si en algún momento "rompes" la dieta. Ahora te explicaré cómo prevenir que eso ocurra. Créeme, puedes ayudarte a evitar al máximo estos episodios si estás atento(a) a las situaciones en que eres más vulnerable, las horas de mayor peligro y los alimentos "detonadores". Comenzaré por hablarte de esos alimentos que hacen que pierdas el control.

Cada quien se conoce y sabe también qué alimentos le fascinan o qué platos le son simplemente "irresistibles". Por ejemplo, hay personas que se desviven por los dulces al punto que incluso pueden dejar cualquier plato principal, pero no rechazan un postre. Dentro del grupo al que le encantan los dulces, hay también unos que pueden ser fuertes ante cualquier otra tentación, pero que "mueren" por el chocolate. Por otro lado, hay a quienes no les apasionan los dulces, pero les encantan otros alimentos como: la pizza, el queso (aquí me incluyo), algunos alimentos fritos (los tostones, los plátanos maduros o amarillos, las papas, las empanadillas, etc.), el pan "criollo", el *popcorn*, los refrescos carbonatados, las bebidas alcohólicas y otros. Cada cual conoce qué alimento le fascina y, por lo tanto, se le hace muy difícil rechazarlo. Esos alimentos que no podemos evitarlos y que hacen que perdamos el control se conocen como "detonadores", ya que provocan que explote el descontrol.

Para minimizar los riesgos de salirte de la selección adecuada de los alimentos en las comidas, en primer lugar, tienes que alejarte de los alimentos "detonadores". ¿Por qué? Uno no debe exponerse a estos alimentos en un principio, ya que los riesgos de perder el control son muy elevados. Lo mejor es, simplemente, ¡sacarlos de tu vida! No es que nunca los vas a volver a comer. Lo que esto significa es que, en lo que desarrollas destrezas de autocontrol, lo mejor es evitarlos.

Por ejemplo, si te encanta el flan, no compres uno para guardarlo en la nevera. ¿Por qué? Porque no vas a ir a la nevera a hablar con el flan y decirle: "Sabes que me encantas, pero no te voy a comer". Recuerda que cuando el enemigo es fuerte (un flan puede ser muy fuerte para algunos) uno no lo enfrenta, más bien lo evade. Por eso, hasta que no estés bien enfocado(a) y con destrezas de autocontrol, lo mejor es no exponerte. No pienses que esto es un acto de cobardía. (Ya va a llegar el momento en que puedas tener el flan en la nevera, mostrar tu valor y decidir no consumirlo o qué porción comer). Mientras tanto, simplemente, ¡evita vivir con el enemigo!

De igual modo, también se dan otras situaciones en las que se hace más fácil perder el control. Estas pueden surgir, por ejemplo: al visitar a las abuelas (a ellas siempre les encanta vernos comer y comer), al ir a algún restaurante en particular, al salir en grupos los viernes en la noche o al estar los domingos en el BBQ familiar. Cada quien sabe en qué situaciones es más vulnerable o débil. Lo importante es que, una vez identifiques la situación de riesgo, comiences a prepararte antes de llegar a ella. Por ejemplo, si el sábado en la noche vas a ir a tu restaurante favorito y hay algún plato que no puedes resistir, permítete consumirlo, pero esta vez, reduce la porción a la mitad y completa con otras opciones bajas en calorías. También puedes ayudarte desde el día antes del "desarreglo", ya sea bajando las porciones en las comidas principales o aumentando el ejercicio.

Además de los alimentos "detonadores" y las situaciones de riesgo, también están las "horas de mayor peligro". Muchas personas pueden mantener un excelente control a través de todo el día, pero cuando llegan a la casa abandonan cualquier tipo de dieta. Muchos se quejan de que "por alguna razón" que desconocen, aunque no tengan hambre empiezan a comer sin control alguno. Esas horas de la noche, después del trabajo y todas las actividades diarias, pueden significar el momento en el que se libera todo el estrés acumulado y la persona "se da el permiso" para compensarse por todo lo difícil del día. Es en esos momentos cuando es importante reconocer la diferencia entre "hambre real" y "ansiedad por comer" (Capítulo 9) y buscar otras válvulas de escape que no sean las de la comida. Es necesario establecer simples estrategias como, por ejemplo, hacer el ejercicio entre 8:30 y 9:30 p.m., ya que el ejercicio hecho de forma moderada reduce el hambre, libera el estrés y mejora el autocontrol. Debes también evitar ir a la cocina a esa hora (si necesitas algo puedes pedirle a tu hijo(a) o a tu pareja que lo busque) o puedes realizar actividades que mantengan tu mente ocupada como una lectura amena, una llamada telefónica u otras.

Recuerda que no todo el tiempo y no en todo momento vas a mantener el mejor control a la hora de seleccionar los alimentos. Sin embargo, esos momentos de "pequeños o grandes desarreglos" se pueden reducir si evitas los alimentos detonadores, las situaciones de riesgo y diseñas estrategias para las horas de mayor peligro. De esta forma, vas a adquirir mayores herramientas para llegar a lograr tu gran meta: un peso saludable.

CAPÍTULO 14

LA FRUSTRACIÓN AL NO PERDER LAS LIBRAS QUE SE DESEA BAJAR

"¿Qué hago si me estanco al perder peso?"

"Recuerda que para lograr la meta de adelgazar, como en todo objetivo, habrá días muy buenos y otros muy difíciles".

Yo creo que en algún momento de nuestras vidas todas las personas hemos experimentado el terrible sentimiento de la frustración. Y cuando de perder peso se trata, no creo que exista quien se haya podido salvar. Se ve a diario en el ejemplo de muchas personas conocidas (amistades y figuras públicas) que constantemente bajan y suben de peso. También hemos visto cómo muchas reinas de belleza, a pesar de ser mujeres espectaculares, cuando no tienen tiempo para el ejercicio y comienzan con las muchas cenas, empiezan a alejarse cada día de las tradicionales medidas: 36-26-36. En mi caso, aunque soy nutricionista, yo también he vivido momentos de mucha frustración con mi peso. Por eso, quisiera comenzar este capítulo compartiendo contigo mi propia experiencia para que sepas que entiendo muy bien lo que es subir de peso y que conozco la gran frustración que se siente cuando, a pesar de los muchos esfuerzos, no vemos los resultados que queremos.

MI EXPERIENCIA

Desde adolescente, siempre me cuidaba y me preocupaba mi peso (creo que eso influyó en la decisión de estudiar nutrición en la universidad). Para ese tiempo pesaba 95 libras y cuando me sentía "gorda" era cuando llegaba a las 100. En ese peso conocí a quien fue mi esposo y me casé cuando pesaba 105 libras (peso razonable para una mujer *petite* como yo). Como casi todas las personas, aumenté después de casarme y pesaba 110 libras cuando quedé embarazada. Al comenzar mi embarazo, fue que se inició la etapa más difícil y tormentosa de mi vida con relación al peso. ¡Aumenté 52 libras en el embarazo! Comencé con las náuseas y los vómitos desde las primeras dos semanas y no paré hasta los nueve meses. Sé que te estarás preguntando: y, ¿cómo es que aumentó esas libras con tantas náuseas? Ese precisamente fue el problema. Si pasaban 2 horas o más sin comer lo suficiente empezaba todo el malestar. Recuerdo haber vomitado en todo sitio al que iba: en la oficina del ginecólogo, en el carro, dando clases en la universidad, en la playa, en casa de mis padres, etc., etc. El hambre era constante y "¡pobre del que metiera la mano en mi plato!".

Después del parto, llegué a los tres días a mi casa sin conocer mi cuerpo. Tuve que seguir usando la ropa de maternidad porque la otra no me servía. Recuerdo cuando a las dos semanas de postparto tuve que ir a la farmacia y, mientras esperaba a que mi esposo buscara el auto, una señora se me acercó y me dijo: "A las mujeres embarazadas no les debe dar el sol porque eso le hace daño a la criatura". En aquel momento no supe si darle las gracias por su preocupación o por haberme arruinado la tarde...

Pasado el primer mes ya había perdido las primeras 10 libras. Sólo cuidé la alimentación, ya que el ejercicio lo tenía prohibido por la cesárea. A pesar de la gran preocupación (como toda primeriza visité varias veces la sala de emergencia sin necesidad real) y la enorme felicidad que me producía el tener a mi hijo, lactarlo y asumir un rol de tanta importancia como es la maternidad; sentía una gran frustración al pesar 145 libras cuando antes mi peso era de 105 libras. Tal vez pensarás que 40 libras no es demasiado, pero créeme, para una nutricionista ¡40 libras pueden sentirse como 100!

Trataba de tomar las cosas con calma y me decía que "poco a poco" iba a recuperar mi peso. Sin embargo, la frustración aumentó cuando a pesar de que había planificado quedarme con mi hijo por tres meses, a las cinco semanas me llamaron de la compañía donde trabajaba para reiniciar labores. El trabajo que realizaba era de "consultora en un programa de control de peso". ¡Sí, eso mismo, un programa para perder peso! Me preguntaba: ¿qué iba a decir cuando llegara con 40 libras más y sin bebé en la barriga? Mi hermano menor, que tiene un gran sentido del humor, me sugería: "No te preocupes; dices que tienes una enfermedad hormonal". Todos nos reíamos, pero yo continuaba sin saber qué hacer. Además, la frustración no sólo era en el plano profesional sino que permeaba lo personal e hizo crisis cuando un día mi esposo, mirándome el abdomen, me dijo: "¿Eso se va a quedar así?" Claro, yo también era 26 de cintura y en ese momento estaba lejos de serlo. ¡Al cabo de 6 meses ya pesaba 114 libras! (Mi abdomen no se quedó "así" y, por supuesto, eventualmente yo tampoco me quedé con él).

Recientemente, he vuelto a experimentar la frustración con mi peso. Comencé a aumentar libras y pensaba que era porque había dejado de correr al haberme lastimado la rodilla derecha. Sin embargo, luego de varios meses de terapia empecé nuevamente con mi programa de ejercicios. Aunque estaba caminando una hora seis veces en semana y no me pasaba de 1,300 calorías diarias, no bajaba ni una sola libra. Mantuve ese programa por dos meses, pero al ver anonadada cómo la báscula se quedaba en el mismo lugar, decidí visitar a un endocrinólogo. Escandalizada, aterrada y horrorizada, le expliqué mi situación. En la evaluación, se encontraron varios nódulos y un funcionamiento lento de la glándula tiroides. (Esa era la "profecía" de la broma de mi hermano). Comencé el tratamiento y ahora me doy cuenta de que tengo que cuidarme más de lo que ya lo hacía. Hago ejercicios entre cinco y seis veces en semana. (Camino cuarenta y cinco minutos porque todavía no he podido comenzar a correr). Mi alimentación no se pasa de las 1,300 calorías y si así no fuera, al otro día veo los resultados en la báscula. Sé que el ejercicio casi diario y la limitación calórica requieren disciplina, voluntad y hasta cierto sacrificio. Sin embargo, hay sólo dos opciones: o nos cuidamos o seguimos aumentando y, en vez de caminar, empezamos a arrastrarnos por la vida. ¡Prefiero continuar cuidándome!

¿Qué sucede cuando a pesar de cuidar la alimentación y hacer ejercicios no se pierde peso?

Cuando has estado llevando una alimentación controlada en calorías y realizando los ejercicios y no ves una reducción de peso, pueden estar pasando varias cosas.

- En primer lugar, que te estés pasando de las calorías, ya sea porque en realidad tus requisitos sean menores o porque tu ingesta diaria sea mayor, aunque no te hayas dado cuenta.
- En segundo lugar, puede ser que necesites aumentar el gasto de energía a través del ejercicio.
- En tercer lugar, hay que evaluar si estás desarrollando algún desorden fisiológico, ya sea hormonal o de otro tipo.
- En cuarto lugar, posiblemente estés entrando en la fase de *plateau* o etapa de "estancamiento" en el proceso de perder libras.

La etapa de *plateau* es una de las fases en el proceso de perder peso en el que la persona se "estanca" o baja libras de un modo muy lento. (Puede ocurrir entre los tres y los seis meses de estar en un plan de reducción de peso, pero la misma es una variable en las personas). Lo que ocurre no es que la "dieta" o los ejercicios dejaron de funcionar, sino que el cuerpo comienza a hacer ajustes metabólicos. Estás tratando de perder peso, pero tu cuerpo no sabe que es para mejorar tu salud. Así que, como un mecanismo de defensa, empieza a bajar el metabolismo para preservar la energía. Sin embargo, este mecanismo, no se puede sostener por mucho tiempo. Por eso, luego de varias semanas comienzas a perder libras nuevamente.

Durante este período, muchas personas se frustran y abandonan todo tipo de programa. Si la persona está consciente de lo que le está pasando, puede mantenerse hasta llegar a la próxima etapa, en la que se vuelve a perder peso a un ritmo más acelerado. En esta fase puede ser que se requieran cambios en la cantidad de las calorías o en el ejercicio, pero si dejas de cuidarte el resultado será que comenzarás a subir de peso. Luego decidirás volver a comenzar y, cuando nuevamente llegue tu etapa de *plateau*, tendrás que enfrentar de nuevo esta fase en tu proceso de adelgazar.

Recuerda, si llevas tu "dieta" para perder peso, haces los ejercicios y no ves los resultados, ¡algo está pasando! No te frustres, no abandones la idea de llegar a un peso saludable y hagas como dicen algunos: "Si llevo dieta y no rebajo, pues entonces me pongo a comer". Eso a lo que te llevará es a aumentar más libras. En ese momento, lo que necesitas es reevaluar tu programa y sus componentes para identificar el problema, corregirlo y continuar con tu meta. Acuérdate que en el proceso de perder peso, a pesar de que hay muchos factores que influyen, lo que ocurre al fin y al cabo es una ecuación matemática. Hay que consumir menos calorías y aumentar el gasto de energía. Por cierto, ¡las matemáticas no fallan!

CAPÍTULO 15

APRENDE A COMER SALUDABLEMENTE

LA DIETA PARA BAJAR LIBRAS Y MANTENER EL PESO

Establece patrones de alimentación saludables

"La mejor alimentación para perder peso es aquella con la que aprendes a bajar libras mientras ganas salud y luego te ayuda a mantener el peso logrado".

CÓMO OBTENER UNA ALIMENTACIÓN SALUDABLE

A través de los capítulos anteriores te he señalado que para poder provocar una pérdida de peso es necesario reducir el consumo de calorías y aumentar el gasto de energía a través del ejercicio o la actividad física. Aunque la comprensión de esta afirmación es sencilla, la realidad se complica cuando queremos hacerlo de tal modo que mientras se pierda peso se mejore la salud. En realidad de lo que te estoy hablando es de: **PIERDE PESO Y GANA SALUD**.

Lo primero que necesitas entender es cuáles son los alimentos que debes consumir diariamente para poder tener un buen estado de nutrición. Luego tienes que aprender en qué cantidades vas a ingerir esos alimentos para controlar las calorías y poder perder libras. Conocer la nutrición es comprender todo este proceso que incluye desde la selección de los alimentos y su consumo hasta la digestión y la absorción de los nutrientes (también conocidos como nutrimentos) que se necesitan para que el organismo lleve a cabo todas sus funciones. De hecho, es importante que sepas que mientras mejor alimentado(a) estés, con más efectividad se realizarán las funciones en tu cuerpo (incluyendo el metabolismo), lo que te ayudará, no sólo a mejorar la salud, sino también a lograr una mayor pérdida de peso. Los nutrientes básicos que nuestro cuerpo necesita son: los hidratos de carbono, las proteínas y las grasas. Estos macronutrientes (se componen de moléculas grandes) son sustancias químicas que están presentes en los alimentos y que tienen diversas funciones en el organismo.

LOS HIDRATOS DE CARBONO

Los **hidratos de carbono** son compuestos orgánicos sintetizados por las plantas con la ayuda de la luz solar y el agua. Se clasifican en dos categorías: complejos y simples. Los **hidratos de carbono complejos** son aquellos que están en alimentos que no han sido alterados o "refinados". Éstos se encuentran en: las frutas, los vegetales, los granos o legumbres (habichuelas, garbanzos, gandules y otros), las viandas (el plátano, el guineo, la yuca, la pana y otras), el arroz integral, las pastas y los panes que contienen la fibra y han sufrido un mínimo de procesamiento.

Los **hidratos de carbono simples** son los que han sido procesados y "refinados" como en las harinas enriquecidas, los dulces y el azúcar. Cada gramo de hidrato de carbono, sea simple o complejo, provee 4 calorías. Sin embargo, los hidratos de carbono complejos contienen más fibra. Se digieren y se absorben de una forma más lenta lo que hace que la glucosa aumente gradualmente proveyendo una energía más duradera. Los hidratos de carbono simples carecen de fibra, se digieren y se absorben en poco tiempo. Además, aumentan rápidamente los niveles de glucosa (índice glicémico elevado) y la energía que brindan dura menos. La función principal de los hidratos de carbono es proveerle la energía al cuerpo para realizar todas sus funciones y movimientos.

LAS PROTEÍNAS

El segundo macronutriente importante son las **proteínas**. Éstas son compuestos orgánicos y complejos que se diferencian de los hidratos de carbono y las grasas en que contienen nitrógeno. Son sintetizadas por las plantas, pero también por los animales. Se clasifican en: origen animal y origen vegetal. Las proteínas se componen de 22 aminoácidos de los cuales 13 son producidos por el propio organismo y 9 son esenciales. Cuando un nutriente es esencial lo que significa es que el cuerpo lo necesita, pero no lo puede producir o no lo sintetiza en la cantidad o velocidad que el organismo lo requiere por lo que tiene que adquirirlo de los alimentos. Cada gramo de proteína, al igual que los hidratos de carbono, aporta 4 calorías. Entre las funciones principales de las proteínas están: la construcción, el mantenimiento y la reparación de tejidos; la formación de proteínas de la sangre; y la producción de hormonas, enzimas y anticuerpos. Las carnes rojas, las aves, los pescados y mariscos, el huevo y la leche de vaca y sus derivados como el yogur y los quesos son fuentes de **proteína animal** que contiene todos los aminoácidos. Ésta también se conoce como proteína completa o de alto valor biológico.

Por otro lado, está la **proteína vegetal**. Ésta no contiene todos los aminoácidos y se conoce como proteína de bajo valor biológico o incompleta. La cantidad de proteína en la fuente vegetal es menor que en la fuente animal. El contenido aproximado es de 2 gramos por porción en la vegetal, mientras que en la de origen animal es de 7 gramos. Fuentes de proteína vegetal son: los granos o legumbres, los cereales (trigo, arroz, avena y otros), los vegetales y las nueces. Aunque los alimentos de origen vegetal no contienen proteína completa, si se hace una buena combinación se pueden obtener todos los aminoácidos que el cuerpo requiere. Por ejemplo, el arroz contiene poca cantidad del aminoácido lisina, pero gran cantidad de metionina. Las habichuelas contienen mucha lisina, pero poca cantidad del aminoácido metionina. Por lo tanto, al combinar el arroz con las habichuelas se obtiene una comida con proteína completa.

LAS GRASAS

Las grasas son el tercer grupo básico. Éstas son compuestos orgánicos que contienen glicerol (un tipo de alcohol) y moléculas de carbono, hidrógeno y oxígeno. Se dividen en: saturadas, monodesaturadas y polidesaturadas. Cada gramo de grasa aporta 9 calorías. Las **grasas saturadas** se encuentran en: la manteca, la mantequilla, la tocineta, el coco y el aceite de palma. Las fuentes de **grasas polidesaturadas** son: el aceite de maíz, el aceite de girasol, la margarina, la mayonesa y los aderezos. Los alimentos con gran contenido de **grasas monodesaturadas** son: el aceite de oliva, el aceite canola, el aguacate y las semillas y nueces (almendras, avellanas y otras). Las grasas tienen como función proveer las vitaminas solubles en grasa y los ácidos grasos esenciales: linoleico (Omega- 6), alfa linolénico (Omega-3) y araquidónico (que se produce a partir del linoleico). También proveen otros ácidos grasos Omega-3 necesarios para la salud como el docosahexanoico y el eicosapentanoico. Son, además, la segunda fuente importante de energía para el organismo.

Las recomendaciones sobre el consumo de estos nutrientes pueden variar para las personas. La cantidad recomendada de estos macronutrientes en la dieta diaria va a depender de la edad (los niños, adolescentes, mujeres embarazadas y lactantes necesitan más grasas), la enfermedad que padezca la persona (en caso de que tenga diabetes, problemas renales, hígado graso, colesterol elevado, etc.) y el programa de ejercicios que esté siguiendo (aeróbicos, levantamiento de pesas, etc.). Sin embargo, después de tantos años de experiencia como nutricionista y dietista licenciada, entiendo que para todas las personas en general, la mejor distribución de estos macronutrientes en las calorías diarias es la siguiente:

Hidratos de carbono	=	55%
Proteínas	=	20%
Grasas	=	25%

Además de estos macronutrientes, también están los micronutrientes (nutrientes o compuestos con moléculas más pequeñas), que se conocen como **minerales** y **vitaminas**. Existe una gran cantidad de vitaminas y minerales que hasta el momento se han descubierto y que son importantes para el buen funcionamiento de nuestro cuerpo. Entre las vitaminas podemos mencionar: las vitaminas del complejo B (tiamina, riboflavina, niacina, piridoxina, cobalamina, ácido fólico y otras), la vitamina C y las vitaminas solubles en grasa (A, D, E, K). Entre los minerales más importantes y conocidos están: el calcio, el hierro, el fósforo, el manganeso, el magnesio, el potasio, el sodio y otros. Cada vitamina y cada mineral tiene una función específica en el organismo. Estos nutrimentos realizan muchísimas funciones y son necesarios para el mantenimiento de: la piel, el cerebro, los huesos, la salud visual y otros órganos y actividades fisiológicas. Las vitaminas y los minerales se encuentran en una variedad de alimentos como las frutas, los vegetales, las carnes y pescados, los granos, los cereales y la leche y sus derivados.

Por último, se debe mencionar que **el agua** (ver Capítulo 17), **la fibra** y **los fitonutrientes** son otros nutrimentos importantes. La fibra es esa parte de los alimentos que no se digiere y se clasifica en soluble (ayuda a bajar el colesterol) e insoluble (ayuda a evitar el estreñimiento). La **fibra soluble** se encuentra en: algunos vegetales y frutas, los granos o legumbres y la avena. Las fuentes de **fibra insoluble** son el salvado o "bran" de trigo, sus alimentos derivados como los cereales y el pan alto en fibra y ciertas frutas y vegetales. Los **fitonutrientes**, por otro lado, son compuestos biológicamente activos y muchos de ellos son responsables del color de las frutas y los vegetales. Éstos se estudian cada día más y en la actualidad se conocen miles de ellos. Los fitonutrientes tienen grandes propiedades en la prevención de distintas enfermedades. En el Capítulo 23, se discuten de un modo más profundo.

Todos estos nutrimentos: los hidratos de carbono, las proteínas, las grasas, las vitaminas, los minerales, el agua, la fibra y los fitonutrientes son indispensables en nuestra dieta diaria. Cada grupo lleva a cabo una función importante y específica en el organismo y uno no puede ser remplazado o sustituido por otro. ¡Todos son necesarios! Además, cuando todos están presentes en la alimentación diaria se produce la sinergía (unos interactúan con otros aumentando o mejorando su función). Por lo tanto, para que nuestra alimentación sea nutritiva y balanceada tiene que proveer todos estos nutrimentos en las comidas diarias.

El gran reto de perder peso mientras se mejora a la vez la salud se logra al tener una alimentación moderada o baja en calorías (controlando las porciones en las comidas) para poder provocar una pérdida en libras. A la misma vez, se selecciona y se consume la combinación correcta de los alimentos para poder cumplir con todos estos requisitos nutricionales necesarios para el óptimo funcionamiento de nuestro cuerpo. Así que, no es solamente comer menos y consumir pocas calorías sin evaluar lo que estamos seleccionando. No se trata tampoco de ingerir solamente grandes cantidades de proteínas y eliminar los hidratos de carbono o las grasas. El punto importante es tener el balance correcto en la selección y en las cantidades de los alimentos. Tal vez, te puede parecer que llevar una alimentación que incluya este balance es algo muy complejo. Sin embargo, te aseguro que no vas a necesitar una maestría o un doctorado en nutrición para lograrlo.

Hay una guía básica que se ha diseñado para que todas las personas puedan aprender a seguir una buena alimentación diariamente. La forma sencilla de lograr una dieta balanceada es consumiendo todos los días los grupos básicos de alimentos. Éstos son:

- **los farináceos** (cereales, panes, viandas, pastas, arroz, granos o legumbres)
- **las frutas** (china, mangó, piña, uvas, peras, manzanas, fresas, entre otras)
- **los vegetales** (brécol, zanahoria, lechuga, espinaca, habichuelas tiernas, entre otros)
- **la leche y productos lácteos** (yogur, queso)
- **las carnes** (las rojas, aves y pescados)
- **las grasas** (aceites, margarinas, nueces y semillas)

Estos grupos son los que componen la **Pirámide de Alimentos** y proveen todos los nutrientes. Si se combinan correctamente estos grupos de alimentos en las cantidades adecuadas (para tener un control de las calorías), se obtendrá una buena nutrición y a la misma vez se perderá peso. En la portada y contraportada interior te incluimos la **Pirámide Alimentaria para Puerto Rico** para que la utilices como una guía que te ayude a mejorar tu alimentación.

Para que tengas una mejor idea de cómo se logra el balance nutricional y qué cantidades pudieran ser las indicadas, examina los siguientes ejemplos de un menú. Así, podrás comparar y entender cómo variando la forma de preparación de los alimentos y sus cantidades se altera el contenido calórico para lograr una alimentación marcadamente elevada, moderada o baja en calorías.

EJEMPLO DE UN MENÚ TÍPICO*

DESAYUNO	CALORÍAS
Tostadas de Pan Criollo - 7 pulgadas	490
Mantequilla - 2 cucharadas	270
Revoltillo de Huevos preparado con:	
2 huevos	160
1 lasca de jamón	100
1 lasca de queso	100
1 cucharada de mantequilla	135
Refresco Regular	150
Café con Leche Regular- 4 oz.	75
Azúcar- 3 cucharaditas o sobres	60
CALORÍAS	**1,540**

***NOTA: En la descripción del menú se utilizan las siguientes abreviaciones:**
cucharada = cda. cucharadita = cdta. onza = oz.

MERIENDA	CALORÍAS
Dona - 1	200
Café con Leche Regular - 4 oz.	75
Azúcar - 3 cucharaditas o sobres	60
CALORÍAS	**335**

ALMUERZO	CALORÍAS
Hamburguesa de Res - 4 oz.	400
Pan - 2 Rebanadas	140
Mayonesa - 1 cucharada	135
Papas Fritas Pequeñas	250
Refresco Regular (Tamaño Pequeño)	150
CALORÍAS	**1,075**

MERIENDA	CALORÍAS
Bolsa de Papas - 1	130
Refresco Regular - 12 oz.	150
CALORÍAS	**280**

CENA	CALORÍAS
Pollo Frito - muslo y cadera (con la piel)	530
Arroz Regular - 1 taza	310
Habichuelas - ½ taza	80
Tostones - 4	320
Refresco Regular - 12 oz.	150
TOTAL DE CALORÍAS	**1,390**

MERIENDA	CALORÍAS
Mantecado Regular - 1 taza	300
CALORÍAS	**300**

TOTAL DE CALORÍAS AL FINAL DEL DÍA	**4,920**

La persona que consuma este menú habrá ingerido en un solo día ¡4,920 calorías! Observa, sin embargo, que en este menú de un día no hay comida adicional como una hamburguesa doble o mayonesa extra (si fuera así, las cantidades de las calorías serían mayores). Tampoco la persona repite en las comidas. Además, el tamaño de las papas fritas, al igual que el de los envases de los refrescos, es pequeño (¡imagínate si fueran grandes!). Este menú puede ser el de la alimentación de cualquier persona que no esté en una dieta de reducción, pero que tampoco consuma cantidades exageradas de comida. Se podría decir que esta alimentación sería la comida "regular" para cualquier persona.

Sin embargo, si la persona que consume estas 4,920 calorías necesita, por ejemplo, solamente 2,000 para cubrir sus requisitos de metabolismo y actividad física, tendrá un exceso de 2,920 calorías en ese día. Si mantiene esta alimentación, ¡en sólo tres días habrá aumentado 2.5 libras (8,760 calorías extras)! Además, no sólo aumentará de peso, sino que estará mal nutrida. Este menú es deficiente en el consumo de frutas, vegetales y leche. Además, aumenta los riesgos de problemas cardiovasculares (exceso en grasas y colesterol) y cáncer (exceso de grasas, alimentos fritos y poco contenido de fitonutrientes).

MENÚ MODERADO EN CALORÍAS (1,750 calorías)

DESAYUNO	CALORÍAS
Tostadas de Pan Integral - 2	140
Margarina "Light" - 2 cucharaditas	30
Huevo Hervido - 1	80
Jugo de China 100% Puro - 8 oz.	120
Café con Leche Baja en Grasa - 4 oz.	60
Sustituto de Azúcar	0
CALORÍAS	**430**

MERIENDA	CALORÍAS
Uvas Rojas - 30	120
CALORÍAS	**120**

ALMUERZO	CALORÍAS
Hamburguesa de Pollo a la Plancha - 4 oz.	220
Pan -2 rebanadas	140
Sin Mayonesa	0
Lechuga y Tomate	10
Agua o Bebida dietética	0
CALORÍAS	**370**

MERIENDA	CALORÍAS
Yogurt "Light"- 8 oz.	90
CALORÍAS	**90**

CENA	CALORÍAS
Salmón a la Plancha - 4 oz. (o cualquier pescado, aves o carne roja magra)	220
Arroz (sin grasa) - 1 taza	240
Habichuelas - ½ taza	80
Vegetales (Brécol y Zanahoria) - ½ taza	25
Aceite de Oliva - 2 cucharaditas	90
TOTAL DE CALORÍAS	**655**

MERIENDA	CALORÍAS
Mantecado "Light" - ½ taza	90
CALORÍAS	**90**

TOTAL DE CALORÍAS AL FINAL DEL DÍA	**1,755**

Este menú es más balanceado, nutritivo y bajo en calorías. A pesar de que tiene 3,165 calorías menos, aporta mejor nutrición con el consumo de frutas o jugos (100% jugo), vegetales y grasas saludables. También ofrece buenas fuentes de vitamina C, calcio, fibra y fitonutrientes. Aunque se ha modificado la selección, la preparación y las cantidades de los alimentos, las comidas ofrecen porciones que satisfacen. Al consumir este tipo de alimentación todos los días, cualquier adulto puede perder entre 1 y 2 libras a la semana dependiendo del sexo, la edad, la actividad física y la condición de salud.

MENÚ BAJO EN CALORÍAS (1,250 calorías)

DESAYUNO	CALORÍAS
Tostadas de Pan "Light" - 2	80
Margarina "Light"- 1 cucharadita	15
Huevo Hervido - 1	80
Jugo de China 100% jugo - 4 oz.	60
Café con Leche sin Grasa - 4 oz.	40
Sustituto de Azúcar	0
CALORÍAS	**275**

MERIENDA	CALORÍAS
Uvas Rojas - 15	60
CALORÍAS	**60**

ALMUERZO	CALORÍAS
Hamburguesa de Pollo a la Plancha - 4 oz.	220
Pan -2 Rebanadas	140
Sin Mayonesa	0
Lechuga y Tomate	10
Agua o Bebida sin Azúcar	0
CALORÍAS	**370**

MERIENDA	CALORÍAS
Yogurt "Light" - 8 oz.	90
CALORÍAS	**90**

CENA	CALORÍAS
Caldo Claro	0
Salmón a la Plancha -3 oz.	165
(o cualquier pescado, aves o carne roja magra)	
Arroz (sin grasa) - 1/3 taza	80
Habichuelas - 1/3 taza	50
Vegetales (Brécol y Zanahoria) - ½ taza	25
Aceite de Oliva - 1 cucharadita	45
Agua o Bebida sin Azúcar	0
TOTAL DE CALORÍAS	**365**

MERIENDA	CALORÍAS
Mantecado "Light" - ½ taza	90
CALORÍAS	**90**

TOTAL DE CALORÍAS AL FINAL DEL DÍA.................................. 1,250

Este menú sigue siendo balanceado, nutritivo y bajo en calorías. En general, esta cantidad de calorías no se recomienda para los varones, pero puede ser lo adecuado para algunas mujeres de poca estatura, de actividad física limitada o que tengan un metabolismo muy lento. Aunque esta alimentación ofrece una restricción mayor de calorías, la persona consume: pan, arroz, habichuelas, comida de "fast food" y otros alimentos. No hay en este menú comidas "especiales" o "raras" y esta alimentación puede ser parte del menú familiar regular.

Seleccionar bien los alimentos, prepararlos siguiendo un método saludable y controlar las porciones, son la clave para tener una alimentación balanceada y perder peso. Además, establecer buenas prácticas alimentarias en tu estilo de vida también será de gran ayuda en este proceso. A continuación, se discuten algunas de ellas para que al conocerlas y aplicarlas, te ayuden a perder libras y te faciliten el comenzar a llevar un estilo de vida saludable.

ESTABLECE PRÁCTICAS ALIMENTARIAS SALUDABLES Y ROMPE CON LOS PATRONES NOCIVOS

Es importante que, además de una dieta balanceada y baja en calorías, mantengas prácticas y hábitos de alimentación saludables. Estos patrones te van a ayudar a estar mejor en la "dieta" de reducción de peso, ya que tendrás un mayor control del hambre y te satisfarás mejor. Además, cuando llegues a tu peso saludable te será más fácil mantenerlo.

Para establecer nuevos y mejores hábitos de alimentación, como en todo **hábito**, se requiere tiempo, práctica y repetición. Algunos expertos en el estudio de la conducta señalan que se necesita un mínimo de 21 días para crear un hábito. Otros sugieren trabajar con los tres elementos básicos que llevan a una conducta determinada: el estímulo, el pensamiento internalizado o cristalizado (parte cognitiva que lleva al hábito) y la acción que lleva a las consecuencias. De este modo, si modificas los estímulos en tu vida diaria y alteras la forma en que estás acostumbrado(a) a pensar (ver los capítulos sobre el aspecto emocional del 9-14), tendrás los cambios y resultados que quieres en tu conducta y modo de alimentarte.

Formar nuevos hábitos de alimentación no es distinto a crear y mantener otros hábitos en tu vida. Analiza, por ejemplo, el del cepillado de los dientes. Estoy segura de que jamás saldrías de tu casa sin lavarte los dientes, no importa que estés tarde, enfermo(a) o sin agua (en ese caso, simplemente, te las arreglarías para buscarla). De igual forma, puedes establecer hábitos de alimentación tan fuertes y consistentes que se hagan parte de tu vida diaria. Crear estos nuevos hábitos de alimentación es lo que te asegurará, no sólo la pérdida de peso sino también un estilo de vida saludable.

1. **Aprende a identificar lo que es estar "satisfecho" vs. estar "lleno".**
   Muchos comen y comen y no paran hasta estar llenos y repletos. Cuando logran esta sensación de "llenura", entienden que han ingerido suficiente comida y paran de comer. Sin embargo, no debes esperar a estar "lleno" para detenerte en el comer. Debes parar la ingesta de alimentos tan pronto te sientas "satisfecha(o)". Cuando te sientes bien con la cantidad que has comido y eso es suficiente,

estás "satisfecho(a)". Normalmente, el estómago envía una señal (una pequeña contracción) y te avisa para que dejes de comer. Cuando así lo haces, luego de finalizar te sientes con energía y liviano(a). Si no le haces caso al estómago, pasas por alto esa señal y sigues comiendo, va a ser la garganta entonces la que te avise. Cuando sientes una contracción en la garganta (a veces la comida y los jugos gástricos también suben), eso es un indicador de que ya no es posible acomodar más comida. Si esperas a estar "lleno(a)" para cesar de comer te sentirás con sueño, sin energía y puede ser que también te produzca malestar estomacal. Así que, aprende a distinguir y a reconocer lo que es estar "satisfecho" vs. estar "lleno". ¡Deja que tu estómago te hable, aprende a escucharlo y comienza a hacerle caso!

2. **No comas de pie y de prisa.**
   Se ha encontrado que cuando se come de pie se consume una mayor cantidad de alimentos, la persona se satisface menos y se queda con la sensación de que "casi no ha comido". O sea, la persona está menos consciente de las cantidades y éstas son mayores. También, si comes muy rápido no das tiempo a que tu cerebro registre el mensaje de saciedad (se necesita alrededor de 20 minutos). Esta es una razón que explica por qué cuando los(as) niños(as) empiezan a comer y se tardan mucho tiempo pierden el hambre. Por lo tanto, a la hora de comer, hazlo sentado(a), con calma y observando la comida (el sentido visual también es importante para satisfacerte). Evita en ese momento ver televisión, leer o realizar otras actividades. De esta forma, estarás más satisfecho con menos cantidad de comida.

3. **Utiliza métodos saludables y atractivos para preparar las comidas.**
   Al preparar las comidas, utiliza métodos saludables como: el hornear, el guisar (sin grasa añadida), al vapor, a la plancha, a la sartén (en agua) o a la parrilla (sin que la llama

toque la carne). ¡Evita freír! No importa si es con aceite de oliva, de maíz o con manteca. Si algún día lo vas a hacer, utiliza solamente un aceite que no se descomponga con la temperatura elevada como el aceite de semilla de uva ("Grape Seed Oil"), disponible en los *health foods*. Utiliza ingredientes y especias sin calorías para añadir sabor, como el ajo, el orégano, el perejil, la cebolla, los pimientos y otros. Combina los colores y las texturas de los alimentos para hacer las comidas más atractivas.

4. **Trata de mantener una alimentación nutritiva.**
Si escoges alimentos saludables para tus comidas, no sólo tendrás un mejor estado nutricional y disminuirás los riesgos de enfermedades, sino que te dará menos hambre. Se cree que a las personas que se alimentan mal les da más hambre, ya que aunque puedan haber consumido mucha comida, el cuerpo sigue falto de los nutrientes necesarios. Por esta razón, el organismo sigue enviando el mensaje de que necesita más comida. Si mantienes una buena alimentación, sentirás menos hambre a través del día.

5. **Recuerda desayunar siempre.**
La comida más importante del día es el desayuno. La palabra desayuno significa precisamente "romper el ayuno". No lo omitas y trata de consumirlo antes de salir de tu casa. Si no tienes hambre tan temprano (a algunas personas les pasa), consume algo liviano como un vaso de leche sin grasa o un jugo 100% puro y desayuna luego lo más temprano posible. Muchos estudios han demostrado que el hacer un desayuno nutritivo mejora la concentración, el nivel de energía y el metabolismo, ya que se activa más temprano en el día todo el sistema gastrointestinal.

6. **Mantén una estructura regular en las comidas.**
Lo recomendado es hacer tres comidas y tres meriendas. Olvídate de hacer un "buen almuerzo" para luego omitir la cena. Tampoco omitas el almuerzo para luego poder hacer

una "cena gigante". Al hacerlo de esta forma, en realidad no ingerirás menos calorías, ya que al eliminar una comida te darás permiso para lo que podría ser una peor selección de alimentos y unas cantidades mayores. Además, pasarás más hambre, tendrás menos energía y afectarás negativamente el metabolismo.

7. **Ingiere la comida "light" con moderación.**
La comida "light" es aquella que ha sido modificada para aportar menos grasas, azúcares o calorías. Sin embargo, de ingerirla, tienes que cuidar las porciones porque de todos modos esta comida aporta calorías. No abuses de su consumo porque el beneficio de tener una comida más baja en calorías lo vas a echar a perder si aumentas las cantidades. Por ejemplo, en vez de 2 ó 3 lascas de jamón de pavo, ingiere una; en vez de 2 tazas de mantecado "light", consume sólo 1/2 taza , etc.

8. **Vigila tu estado emocional.**
Ya has aprendido que muchas veces canalizamos a través de la comida los estados emocionales. Sin embargo, recuerda que no importa si tu ingestión de comida es por ansiedad o por "hambre real". Como quiera, vas a ingerir calorías que se acumularán en tu cuerpo y no te dejarán perder peso. Trata de tener un control del estrés y no dejes que la condición emocional eche a perder tus esfuerzos y tu compromiso.

9. **Olvídate de las gaseosas, los dulces y los "productos de bolsita".**
Tanto los refrescos carbonatados como los dulces y las bolsitas con productos saladitos (las papas y otros) aportan muchas calorías y pocos nutrientes (tienen baja densidad nutricional). Simplemente, sácalos de tu alimentación diaria y evítalos mientras quieras perder peso. Si te gustan demasiado, consúmelos solamente de forma muy ocasional cuando ya estés en tu peso saludable. Siempre recuerda que estos productos "engordan" tu cuerpo y no lo nutren.

10. Ingiere productos bajos en calorías o sin ellas cuando quieras comer de más.

Si a pesar de estar llevando una alimentación saludable y haber consumido porciones moderadas aún quieres seguir comiendo (el hambre puede variar de día en día), recurre a alternativas bajas en calorías. Por ejemplo, prepara un caldo o una sopa con todos los vegetales que quieras usando especias que le den mucho sabor (ajo, cebolla, orégano, etc.) y consúmelo cada vez que te dé hambre. También puedes hacerte un té (prefiere el té verde) o prepárate una limonada con un sustituto de azúcar.

RECOMENDACIONES PARA MANTENER EL PESO

Recuerda que, si es necesario bajar de peso, igualmente de importante es el mantenerlo. Por lo tanto, una vez llegues a un peso saludable, proponte mantenerlo. Tal vez, podrás reducir el tiempo que le dediques a los ejercicios, consumir unas porciones mayores en los alimentos y hasta ocasionalmente hacer algún "desarreglo" en las comidas. No obstante, si dejas de seleccionar bien lo que comes, te olvidas de cuidar las porciones y regresas a los viejos hábitos, volverás inevitablemente a recuperar las libras perdidas.

En la etapa de mantenimiento, trata de continuar con las prácticas alimentarias aprendidas ya sin la rigidez que se requería para perder libras. Mantener un peso saludable a través de los próximos años en tu vida es un gran objetivo que tiene mucha importancia y requiere esfuerzo, disciplina y compromiso. De la misma forma que lograste perder el exceso de libras, así mismo mantendrás el peso obtenido si igualmente te lo propones y lo tienes como una de las prioridades en tu vida. El esfuerzo que hagas será recompensado con los muchos beneficios que recibirá tu organismo y el gran bienestar que sentirás. A continuación, resaltamos los cinco puntos básicos para lograr mantener el peso saludable.

1. **Una vez llegues a tu peso saludable, regala o lleva al sastre tu ropa "grande" para entallarla.**
   No te quedes con esa ropa de un tamaño mayor en el clóset. Regálala o llévala a arreglar, pero no la guardes en el clóset. ¿Por qué? Con esa acción te enviarás un mensaje claro y contundente de que no hay posibilidades de volver al peso que tenías al comenzar tu programa de reducción.

2. **Mantén siempre la buena nutrición.**
   Aunque ya no tengas que perder peso, recuerda que sigue siendo importante seleccionar bien los alimentos. Probablemente tendrás que aumentar un poco las calorías para que no sigas bajando libras, pero debes hacerlo con alimentos nutritivos. Una guía sencilla que te ayudará a mantener siempre un buen balance en las comidas es la de dividir el plato en dos mitades. Llena una mitad con vegetales y la otra con la porción de alimentos con hidratos de carbono (arroz, habichuelas, pastas, viandas, etc.) y con la fuente de proteínas (carnes o pescados). Si mantienes la buena alimentación, podrás darte permiso para hacer un "pequeño desarreglo" en la semana. Por ejemplo, si te apasiona algún plato con muchas calorías, como la lasaña, consúmelo en una porción moderada o, si te gustan los postres, disfrútalos una vez en la semana. Si la familia o el grupo de amigos(as) ordena pizza, ingiere 2 ó 3 pedazos (como máximo) del sabor que más te guste. Recuerda que si el "desarreglo" es una vez en la semana, no tienes que preocuparte porque tu peso se mantendrá igual. Lo que no puedes hacer es comer la lasaña un día, el postre al día siguiente y al otro día la pizza. Si haces esto, definitivamente esa semana aumentarás de peso.

3. **Vuelve a tu programa para perder peso tan pronto como subas las primeras 5 ó 10 libras.**
   Una fluctuación de 5 libras es muy normal y no debe preocuparte, pero si aumentas más de 5 libras, ¡activa la alarma y comienza a controlar mejor las comidas! Si no lo ha-

ces así y lo dejas para más adelante, verás que, más tarde, ya no serán 5 libras sino 20.

4. **Súbete a la báscula por lo menos una vez en semana.** Hay personas que se pesan todos los días y esto les produce mucha ansiedad. Hay otros, sin embargo, que no quieren pesarse (se imaginan que han aumentado, pero no lo quieren confrontar) y cuando lo vuelven a hacer, sufren el trauma de saber que tienen 20, 30 ó más libras de más. En otras palabras, no vivas obsesionado(a) con la báscula, pero tampoco te olvides de ella.

5. **Realiza siempre tu programa de ejercicios.** Una vez hayas logrado la meta en el peso, podrás reducir la frecuencia o la intensidad de los ejercicios. Sin embargo, ¡nunca dejes de hacer ejercicios! Si cuando deseabas perder peso, hacías ejercicio de cinco a seis veces a la semana, tal vez ahora puedas bajarlo a cuatro o cinco. Si hacías entre cuarenta y cinco a sesenta minutos de cardiovascular, probablemente puedas reducirlo a treinta o cuarenta y cinco minutos. No obstante, es importante que te mantengas haciendo los ejercicio cardiovasculares y los de resistencia (bandas, pesas y otros). Así, no sólo se te hará más fácil controlar tu peso, sino que también mantendrás la masa muscular y los beneficios para la salud.

CAPÍTULO 16

LA IMPORTANCIA DE LAS MERIENDAS

¿Ayudan las meriendas a perder peso?

"Hacer pequeñas comidas a través del día es como 'recargar las baterías' de tu cuerpo para mantener activo tu metabolismo y aumentar tu nivel de energía".

¿ES NECESARIO HACER MERIENDAS?

Algunos piensan que las meriendas son sólo para los niños(as) y que los adultos no tienen necesidad de estas pequeñas comidas. Otros asocian el hacer meriendas con una pérdida de tiempo en el trabajo (se interrumpe la labor que se esté realizando) y con un riesgo mayor de aumentar de peso, ya que llevan a más comidas en el día. La realidad, sin embargo, es que si sabes escoger las meriendas, lejos de aumentarte el peso lo que van a hacer es ayudarte a bajar libras. Además, la productividad en el trabajo también va a mejorar, ya que los minutos que pierdas en hacer esa pequeña comida van a ayudarte a una mejor concentración a través de todo el día.

Las meriendas son necesarias no importa la edad que se tenga. A continuación, te explico sus beneficios y su importancia en toda alimentación, particularmente en una dieta para perder peso.

VENTAJAS DE HACER MERIENDAS:

1. **Producen mayor estabilidad en los niveles de glucosa.**
   Para que el órgano principal de nuestro cuerpo, el cerebro, pueda funcionar necesita de la glucosa. Sin embargo, cuando pasamos muchas horas sin ingerir alimentos, los niveles de glucosa en la sangre pueden reducirse por debajo de los niveles normales. Los niveles bajos de glucosa en la sangre producen alteraciones en nuestro cerebro que llevan a: pobre concentración, sueño, irritabilidad y cambios de humor. También la persona puede sentir nerviosismo, desesperación por comer dulces, cansancio, hambre y debilidad en general. Estos niveles bajos de glucosa también pueden producir mareos, dolor de cabeza y precipitar los ataques de migraña. Para algunas personas, además, pueden reflejar un aumento en el nivel de agresividad, dificultades en la toma de decisiones y errores de juicio. El hacer

pequeñas meriendas entre las comidas principales ayuda a prevenir el nivel bajo de glucosa y reduce la intensidad y la frecuencia de estos síntomas.

2. **Ayudan a controlar el hambre y a mantener un peso saludable.**
El consumir meriendas durante el día mejora el control del apetito y ayuda a no tener tanta hambre en las comidas principales. Si esperas muchas horas para comer, vas a tener demasiada hambre y será difícil pensar bien en lo que vas a seleccionar para las comidas. Con mucha hambre, va a existir un sentido de urgencia por saciar el estómago, lo que te va a llevar a comer "lo que aparezca" y no lo que te convenga. También se te va a hacer muy difícil controlar las porciones, ya que la desesperación te va a llevar a comer más cantidad de alimentos.

Por otro lado, se ha encontrado que el comer frecuentemente aumenta el metabolismo, lo que ayuda a perder peso. Además, cuando las comidas se consumen en pequeñas porciones, se queman más calorías a través del efecto térmico de los alimentos (gasto de calorías por el proceso de la digestión y la absorción de nutrientes) que cuando son consumidas en grandes cantidades una o dos veces al día.

3. **Aumentan el nivel de energía.**
Una de las quejas más frecuentes en los adultos, en general, es la de sentir cansancio y falta de energía (ésa es una de las excusas más utilizadas para justificar el no hacer ejercicios). Aunque existen otros factores no relacionados con la alimentación (pocas horas de sueño, ausencia de un programa regular de ejercicios, un nivel elevado de estrés, etc.), el pasar muchas horas sin comer reduce el nivel de energía y aumenta la fatiga. El mantener una dieta con pequeñas meriendas mejorará la disponibilidad del combustible que requerimos para poder hacer las múltiples tareas diarias.

¿QUÉ SON MERIENDAS SALUDABLES?

Aunque las meriendas son muy recomendables, la pregunta importante ahora es cómo escoger alternativas saludables. Los criterios para decidir si un alimento o una combinación de alimentos puede constituir una buena selección como merienda son los mismos, en general, que para una dieta nutritiva. Las porciones de los alimentos en las meriendas pueden variar dependiendo de las calorías que requiera la persona. Si te encuentras en sobrepeso, las cantidades se pueden reducir y, si estás en un peso saludable, las cantidades se podrían aumentar. Buenas alternativas son las siguientes:

1. **Frutas frescas (china, piña, guineo maduro, manzana, pera, melón y otras)**
   Las frutas aportan fibra, vitamina C y minerales. Además, son moderadamente bajas en calorías y en sodio. Tampoco contienen grasa. Las frutas también proveen fitonutrientes que ayudan a prevenir el cáncer y otras enfermedades. Algunos ejemplos que puedes considerar son: un guineo pequeño, 2 chinas mandarinas, 1 manzana, 15 uvas, 1 taza de melón y de 4 a 6 onzas de jugo de fruta sin azúcar añadida. Aunque los jugos son buenas opciones, hay que señalar que no proveen fibra y llenan menos que la fruta. La combinación de las frutas con una fuente de proteína como el queso bajo en grasa (por ejemplo, el *cottage cheese*) o la leche baja en grasa (para preparar batidas) resulta en una merienda más completa.

2. **Galletas, panes y cereales altos en fibra**
   Se puede combinar el pan con queso y jamón bajo en grasa para preparar un pequeño emparedado. También se pueden acompañar las galletas o el pan con margarina baja en grasa o mantequilla de maní. Los panes y los cereales deben preferirse altos en fibra y sin azúcar añadida o con un bajo contenido de azúcar. Algunos ejemplos que puedes considerar son: una rebanada de pan con una lasca de queso baja en grasa, una galleta de avena, ½ taza de cereal bajo

en azúcar solo o con 4 oz. de leche baja en grasa. También se pueden sustituir los cereales por barras de cereales con frutas, que son igualmente buenas opciones. Escoge las barras de cereales más bajas en calorías, con menor contenido de grasa y azúcar y con mayor cantidad de proteínas.

3. **Leche, yogur y batidas**
   La leche contiene hidratos de carbono, proteínas, vitaminas y minerales. La leche puede ser baja en grasa o totalmente descremada. Un vaso de leche de 8 onzas puede ser una buena merienda. La leche de vaca se puede sustituir por la de soya que es también buena fuente de proteínas y calcio. La leche de arroz, almendras, papas y otras opciones fortificadas con calcio son buenas fuentes de este mineral, aunque no de proteínas. La cantidad de leche se puede reducir y combinarla con otros alimentos como cereales, galletas o frutas para hacer deliciosas batidas. La sustitución de la leche por el yogur bajo en calorías es también una excelente alternativa, ya que además de los nutrientes de la leche, tiene otros componentes que mejoran la flora intestinal y reducen las infecciones de orina.

4. **Semillas, nueces y otros**
   Las semillas y nueces en pequeñas cantidades pueden ser otras buenas opciones de meriendas. A pesar de que estos alimentos son altos en grasas, éstas son mayormente monodesaturadas, las que se consideran como saludables y necesarias para el organismo. Además, las almendras, por ejemplo, son también buenas fuentes de calcio y otros alimentos, como el maní, contienen una cantidad significativa de proteína. Estas alternativas de alimentos deben preferirse orgánicas (producidas sin elementos químicos) y las cantidades deben ser limitadas. Por ejemplo: 20 granos de maní ó 12 almendras (sin endulzar). También puedes reducir la cantidad de almendras y combinarlas con otro alimento como el yogurt. Por ejemplo, 4 oz. de yogurt con 6 almendras.

Finalmente, recuerda que hay productos que, por su bajo contenido de nutrientes y su gran aportación de calorías, azúcares o grasas, no se deben considerar. Estas alternativas son las siguientes: los refrescos carbonatados (cada lata tiene aproximadamente 10 cdtas. de azúcar), los productos de bolsitas (son altos en grasas y sodio), los dulces y las bebidas de frutas con un bajo por ciento de jugo y un alto contenido de azúcar. Estos productos proveen pocas vitaminas, minerales y proteínas y tienen gran cantidad de azúcar refinada y muchas calorías. El exceso de calorías no se elimina, sino que se va a acumular en forma de grasa corporal, lo que va a producir un aumento en peso. Aprender a seleccionar meriendas nutritivas y bajas en calorías (por ejemplo, entre una porción de "apple pie", que tiene 250 calorías, o una manzana pequeña que tiene 60 calorías) no sólo va a mejorar tu estado nutricional, sino que te va a ayudar a controlar el peso. Compara las siguientes meriendas para que veas las diferencias en algunos nutrimentos y calorías.

Alternativas bajas en nutrimentos y altas en calorías	*Alternativas altas en nutrimentos y bajas en calorías*
1. Refresco Carbonatado-12 oz. Bolsita de Papas - 1	**1. Pan integral-1 rebanada Queso bajo en grasa-1 lasca Jugo de China-4 oz.**
Calorías............... 280	Calorías 160
Proteínas................. 3	Proteínas...................8
Grasa..................... 15	Grasa 1
Fibra 1	Fibra 2
Vitamina C.......... 15%	Vitamina C 60%
Calcio 0%	Calcio 20%

TABLA COMPARATIVA

Alternativas bajas en nutrimentos y altas en calorías	*Alternativas altas en nutrimentos y bajas en calorías*
2. **Cereal de maíz regular con azúcar** (1 cajita ó 2/3 taza aproximado) Calorías................ 100 Proteínas.................. 1 Grasa........................ 0 Fibra .... 1 Vitamina C..........20% Calcio 0%	2. **Cereal de salvado ("bran") alto en fibra** (1 cajita ó 2/3 taza aproximado) Calorías ....90 Proteínas....................2 Grasa ....1 Fibra..........................9 Vitamina C .... 25% Calcio 0%
3. **Yogurt de Fresas-8 oz. bajo en Grasas y con azúcar** Calorías............... 190 Proteínas................. 6 Grasa....................... 2 Fibra .... 1 Vitamina C............2% Calcio 15%	3. **Yogurt de Fresas "Light" -8 oz. sin grasas y sin azúcar** Calorías ....90 Proteínas....................6 Grasa ....0 Fibra..........................0 Vitamina C .... 4% Calcio 20%

TABLA COMPARATIVA

Alternativas bajas en nutrimentos y altas en calorías	*Alternativas altas en nutrimentos y bajas en calorías*
4. Barra de dulce (chocolate)-1	**4. Barra de cereal-1** (marca conocida)
Calorías................ 280	Calorías 120
Proteínas.................. 4	Proteínas..................10
Grasa...................... 14	Grasa 6
Fibra 1	Fibra 2
Vitamina C............0%	Vitamina C 10%
Calcio 0%	Calcio 10%
5. Empanadilla de carne -1 Refresco carbonatado -12 oz.	**5. Galleta de Avena -1 Leche sin grasa-4 oz.**
Calorías............... 900	Calorías 110
Proteínas................ 21	Proteínas....................5
Grasa...................... 30	Grasa 4
Fibra 0	Fibra 0
Vitamina C............0%	Vitamina C 0%
Calcio 0%	Calcio 10%

Nota: Las cantidades de proteínas, grasas y fibras se miden en gramos. El análisis nutricional de los alimentos puede variar según las marcas.

CAPÍTULO 17

LOS BENEFICIOS DEL AGUA

¿Es necesario tomar mucha agua?

“De la misma forma que las plantas no pueden existir sin agua, tu cuerpo tampoco puede vivir y mantenerse saludable sin este nutriente”.

¡EL AGUA, UN NUTRIENTE VITAL!

En muchas ocasiones, las personas que se preocupan por su alimentación se preguntan cuáles son los nutrientes más importantes para mantener el cuerpo saludable. Usualmente piensan en las vitaminas, los minerales, las proteínas, los hidratos de carbono y las grasas. Ciertamente, estos nutrimentos son indispensables para el óptimo funcionamiento de nuestro organismo. Sin embargo, en ocasiones no reconocen al agua como un nutriente esencial. La realidad es que el nutrimento más importante que se necesita para mantener la vida es el agua.

Se estima que una persona adulta puede vivir semanas sin consumir alimentos, pero no sin ingerir agua. De tres a siete días sin el consumo de este líquido serían suficientes para producir la muerte. El agua representa sobre el 50% del peso del cuerpo, el cual se distribuye de forma intracelular (dentro de las células) y de modo extracelular (fuera de las células). La proporción de agua varía de acuerdo con la cantidad de músculo y tejido adiposo que tenga la persona. Mientras más libras tengas de músculo, mayor cantidad de agua retendrás en tu organismo.

El agua es necesaria para todos los procesos fisiológicos del cuerpo:

- ayuda en la digestión de los alimentos
- fomenta la absorción de los nutrientes
- facilita la excreción de los desechos metabólicos
- forma parte de la estructura de las células
- es el solvente y medio para todas las reacciones celulares
- es el transportador principal de nutrientes
- es indispensable para el buen funcionamiento del sistema circulatorio

- es fundamental para mantener la temperatura del cuerpo

La ingesta de agua está controlada mayormente por el mecanismo de la "sed", que se regula en el hipotálamo. A medida que la temperatura corporal y ambiental sube, la sed se incrementa porque los requisitos de agua aumentan. Sin embargo, al trabajar en temperaturas bajas debido al uso del aire acondicionado, muchas personas sienten poca sed y entienden que no necesitan tomar agua. Aunque la persona no sienta mucha sed, es importante llenar sus requisitos diarios mínimos.

El cuerpo tiene la capacidad para acumular la energía de los alimentos, pero no tiene la forma de almacenar el agua. Es por eso que las pérdidas diarias de ésta tienen que ser repuestas continuamente. Las pérdidas de agua (eliminación) ocurren principalmente a través de los riñones (orina), del tracto gastrointestinal (heces fecales) y de la transpiración (sudor). Hay otras pérdidas poco medibles que ocurren a través de la respiración y la evaporación a través de la piel. El riñón es el regulador mayor de la pérdida de agua. El consumo diario de agua debe ser aproximadamente igual a la cantidad que se elimina.

El contenido de agua varía en los alimentos. Aunque la persona consuma diariamente alimentos que tengan gran cantidad de agua, no debe olvidar que los requisitos de ésta se llenan principalmente al ingerir el líquido mismo. Las frutas y algunos vegetales tienen una cantidad mayor de agua. El contenido de agua en algunos vegetales y frutas es el siguiente: en la lechuga un 96%, en el brécol un 91%, en el melón un 92% y en la manzana un 84%. Otros alimentos tienen un contenido menor: la papa un 77%, las aves como el pollo un 70% y el pan un 37%. El aceite no contiene agua.

El agua es importante para todos los sistemas del cuerpo y es fundamental para el órgano más grande que tenemos, la piel. Ésta se mantiene bien hidratada con la ayuda del agua, ya que es el humectante más importante y el recurso principal en contra del envejecimiento. El agua es también indispensable para mantener el buen funcionamiento en los procesos de eliminación del cuerpo. Tomar suficiente agua evita el estreñimiento (ayuda en la formación de las heces fecales) y elimina las toxinas (reduce la celulitis o "piel de naranja"). Se ha encontrado que mantener un buen movimieno intestinal y una constante eliminación de toxinas ayuda en el proceso de perder peso.

Además, ¡el agua no tiene calorías! y el tomarla a través del día ayuda a reducir el apetito. Si se ingiere antes de las comidas, reduce el consumo de los alimentos, ya que al comenzar a comer el estómago estará parcialmente lleno. La cantidad de agua que se tome con las comidas e inmediatamente después debe limitarse para no diluir los ácidos gástricos y poder así tener una mejor digestión.

Aunque existe la creencia popular de que tomar ocho vasos diarios suple la necesidad de este líquido, la realidad es que mientras más peso tenga la persona más cantidad necesita. Los requerimientos de agua también se calculan de acuerdo con la edad. Los infantes necesitan mayor cantidad en términos comparativos que los adultos. Los infantes y los envejecientes son también más susceptibles a la pérdida de líquidos (deshidratación).

¿CUÁNTA AGUA DEBE TOMARSE?

Para saber la cantidad de agua que necesitas, utiliza esta fórmula sencilla que te da los requisitos de un modo aproximado. Divide las libras que pesas entre 2 y ya tienes las onzas de agua que necesitas diariamente. Luego divide el resultado entre 8 para saber el número de vasos de 8 onzas que necesitas tomar cada día. Recuerda que el agua potable que actualmente recibimos en nuestras casas, aunque puede ser "bacteriológicamente segura", según las distintas agencias reguladoras de salud del gobierno, en realidad puede tener otros contaminantes y grandes cantidades de cloro, el cual aumenta el potencial de desarrollar cáncer. Aunque existen muchos sistemas de purificación, entre los mejores están la destilación y la osmosis revertida.

Ahora que ya conoces muchas de las funciones del agua en tu cuerpo, comienza y mantén el hábito de llenar tus requisitos diariamente. Si no la toleras fría, considera tomarla a temperatura ambiente. Si no te gusta el agua o se te hace difícil tomar un vaso completo en un momento, consúmela en pequeños sorbos a través del día o añádele unas gotas de limón para darle sabor. No importa cómo decidas hacerlo, lo fundamental es que, de ahora en adelante ¡te comprometas a tomar mucha agua todos los días!

CAPÍTULO 18

LAS CALORÍAS DE LOS ALIMENTOS

Aprende a sustituir alimentos altos en calorías por otros bajos en calorías.

"Sustituye alimentos altos en calorías por los de bajo contenido calórico y podrás tener una dieta saludable que te ayude a perder peso sin pasar hambre".

ALIMENTOS CON POCAS Y CON MUCHAS CALORÍAS

Una de las creencias falsas que existe sobre el bajar de peso es pensar que para lograrlo hay que "dejar de comer" o pasar grandes períodos de "hambre". La realidad es que, aunque es necesario moderar las cantidades de las comidas, la clave está, no en "dejar de comer", sino en aprender a escoger alimentos bajos en calorías.

Las calorías de las comidas están determinadas por **la porción** y **la forma** en que se preparan. Cuando cocinamos los alimentos al horno, a la plancha o al vapor, tenemos solamente las calorías propias de los alimentos. Sin embargo, cuando freímos (en manteca o en aceite) o añadimos grasas a los alimentos (margarina, mantequilla o mayonesa) aumentamos marcadamente las calorías de las comidas. Lo más recomendado es preferir métodos de cocción y comidas a las que no se añada grasa.

Por otro lado, también existe la creencia de que para consumir comidas saludables éstas tienen que ser sin sabor o con una apariencia "poco atractiva". Esta premisa es totalmente falsa, ya que existe una gran variedad de especias y otros productos que le imparten gran sabor a los alimentos sin añadirles calorías extras. Algunos de éstos son: el orégano, el cilantro, el recao, el perejil, el vinagre, el limón, la mostaza, la salsa inglesa, el pimiento, la cebolla, el ajo, la pimienta, la hoja de laurel, la vainilla, la canela y otros. Utilizar estas especias y productos para cocinar hará que las comidas tengan más sabor con menos calorías.

A continuación, te presento una lista de algunos alimentos preparados en formas distintas. Te darás cuenta de que un mismo alimento puede ser alto o bajo en calorías según la forma en que se prepare. Aprende a seleccionar alternativas bajas en grasas, azúcares refinadas y calorías y tendrás una alimentación más saludable y un mejor control en el peso. Recuerda, no se trata de "dejar de comer", sino de hacer una selección más baja en calorías.

ALTERNATIVAS DE ALIMENTOS

BAJAS EN CALORÍAS		ALTAS EN CALORÍAS	
Alimentos	*Calorías aprox.*	*Alimentos*	*Calorías aprox.*
1. Papa Asada (1 pequeña)	80	Papas Fritas (24) (la porción pequeña)	290
2. Plátano Verde (1/2) (hervido)	140	Tostones (6)	480
3. Huevo Hervido (1)	80	Revoltillo de Huevo (preparado con 2 huevos, queso, jamón, leche y margarina)	530
4. Pan "light" (2 rebanadas con 1 cdta. de margarina "light")	100	Pan "criollo" (7 pulgadas con 4 cdtas. de mantequilla)	740
5. Manzana Fresca (1 pequeña)	60	"Pie" de Manzana (1 porción)	250
6. Pollo Asado (muslo y cadera sin la piel)	220	Pollo Frito (muslo y cadera con la piel)	530
7. Chuleta de Pavo Asada (4 oz.)	220	Chuleta de Pavo Frita (4 oz.)	440
8. Ensalada de Lechuga y Tomate (con vinagre)	25	Ensalada de Lechuga y Tomate (con 2 cdas. de aderezo)	100
9. Queso sin Grasa (1 oz.)	35	Queso Regular (1 oz.) (dependiendo de la marca)	70-110
10. Leche sin Grasa (8 oz.)	80	Leche Regular (8 oz.)	150

BAJAS EN CALORÍAS		ALTAS EN CALORÍAS	
Alimentos	*Calorías aprox.*	*Alimentos*	*Calorías aprox.*
11. Hamburguesa de Pollo o res sobre 95% magra (4 oz.) con el pan sin mayonesa	360	Hamburguesa Regular (4 oz.) con queso, el pan y 1 cda. de mayonesa	780
12. "Hot Dogs" sin grasa con el pan (1)	190	"Hot Dogs" Regular con queso y el pan (1)	350
13. Yogur "light" (8 oz.)	90	Yogur Regular (8 oz.)	250
14. Avena con Leche sin grasa (1 taza) con sustituto de azúcar	240	Avena con Leche Regular (1 1/2 taza) con 5 cdtas. de azúcar	410
15. Jugo de China 100% (8 oz.)	120	Jugo de China con azúcar (8 oz.)	160
16. Mayonesa "light" (1 cdta.)	15	Mayonesa Regular (1 cdta.)	45
17. Aderezo "fat free" (1 cda.)	22	Aderezo Regular (1 cda.)	50
18. Margarina "light" (1 cdta.)	15	Margarina Regular (1 cdta.)	45
19. Jamón de pavo 97 % "fat free" (1 lasca)	30	Cortes fríos como: mortadella, jamón de cerdo regular, pastrami y otros (1 lasca)	100
20. Mantecado "light" (1/2 taza con 1/2 guineo)	145	"Banana Split" con "Whip Cream"	920
21. Pizza de Vegetales en masa fina (2 pedazos)	360	Pizza de "Pepperoni" en masa gruesa (2 pedazos)	620

BAJAS EN CALORÍAS		ALTAS EN CALORÍAS	
Alimentos	*Calorías aprox.*	*Alimentos*	*Calorías aprox.*
22. Ensalada "Chicken Ceasar" (sin el aderezo)	190	Ensalada "Chicken Ceasar" (con el aderezo regular)	420
23. Refresco Carbonatado de Dieta (12 oz.)	5	Refresco Carbonatado Regular (12 oz.)	150
24. Cerveza "light" (12 oz.)	80	Cerveza Regular (12 oz.)	150

CAPÍTULO 19

CUANDO NO HAY TIEMPO PARA LA COCINA

¿Qué comidas puedes preparar que sean saludables y en poco tiempo?

"No permitas que la falta de tiempo para cocinar sea una razón o excusa para no cuidar tu alimentación y llegar al peso que deseas".

COMIDA RÁPIDA, SALUDABLE Y HECHA EN CASA

Cada día son menos las familias que disfrutan de la comida hecha en la casa. Debido al estilo de vida, la mayoría opta por comprar en los "fast foods" y llevar a la casa *algo* que resuelva. La queja principal es la falta de tiempo. Tiempo que escasea para muchas cosas y, sobre todo, para cocinar en la casa.

Cuando se tiene mucho tiempo para cocinar, se puede ser muy creativo y preparar platos exquisitos y complicados. Si se dispone de poco tiempo, tal vez de 30 minutos para preparar la comida (ya sea solamente para uno(a) mismo(a) o para toda la familia), entonces no se sabe qué hacer. Es por eso que muchos deciden que es mejor comprar comida y llevarla a la casa en vez de prepararla. Claro, piensan que se van a ahorrar mucho tiempo (se olvidan de las largas filas en los "fast foods" y del tráfico siempre pesado). Sin embargo, aunque parezca imposible, sí existen alternativas rápidas y saludables. Por lo tanto, la próxima vez que tengas poco tiempo para cocinar y quieras preparar algo rápido y nutritivo considera las siguientes opciones.

ALTERNATIVAS RÁPIDAS Y NUTRITIVAS

Una comida saludable hecha en casa debe incluir una combinación de todos los grupos de alimentos que permita obtener todos los nutrimentos necesarios para el organismo. Los siguientes menús son alternativas nutritivas, rápidas y bajas en calorías que puedes preparar. Los ejemplos son opciones parecidas a las que pueden conseguirse en los "fast foods", pero con un ahorro en dinero, tiempo, grasas y calorías.

1. **Ensalada de lechuga y tomate con jamón de pavo (5 minutos)**

   Saca la lechuga de la bolsa (cómprala ya picada), lávala y sírvela en el plato. Lava y pica el tomate. Añade una porción de *croutons* y 2 oz. de jamón de pavo bajo en grasa (también ya viene picadito). Échales 1 cucharadita de aceite de oliva que puedes combinar con vinagre, ajo o limón o sustituye con fuentes de grasa saludable (aguacate, almendras, nueces o avellanas). Los *croutons* también pueden sustituirse por 1/2 taza de granos (habichuelas, garbanzos y otros) para hacer la ensalada más nutritiva. En sólo 5 minutos tienes una comida completa con la fuente de proteínas, hidratos de carbono y grasa, pero baja en calorías.

Jamón de pavo-2 oz. (2 lascas)	=	60 calorías
Croutons-1 porción	=	80 calorías
Lechuga y Tomate	=	10 calorías
Almendras (6)	=	45 calorías
TOTAL	**=**	**195 calorías**

2. **Emparedado de jamón y queso con ensalada (5 minutos)**

Combina 2 rebanadas de pan "light" (también puedes usar el pan pita u otros) con queso y jamón bajo en grasa. Incluye lechuga y tomate a gusto con 1 cdta. de aceite de oliva, de margarina libre de ácidos grasos "trans" o de aceite canola.

Jamón bajo en grasa-1 oz.	=	30 calorías
Queso sin grasa	=	35 calorías
Pan "light"-2 rebanadas	=	80 calorías
Lechuga y Tomate	=	10 calorías
Margarina libre de "acidos grasos "trans" -1 cdta.	=	45 calorías
TOTAL	**=**	**200 calorías**

3. "Wrap" de pollo (7 minutos)

Calienta la plantilla (puede ser de espinaca o trigo) por 20 segundos en el horno microondas. Añade trocitos de pechuga de pollo (vienen enlatadas en agua y con poco sodio) y 1 oz. de queso rallado bajo en grasa. Calienta la plantilla por 30 segundos más. Añade la lechuga y la zanahoria rallada (están disponibles ya picadas) junto a otros ingredientes, como la cebolla y el pepinillo, si te gustan. Incluye una porción de grasa saludable.

Pechuga de pollo -2 oz.	=	110 calorías
Queso rallado bajo en grasa-1 oz.	=	50 calorías
Plantilla -1	=	80 calorías
Lechuga y Zanahorias	=	10 calorías
Aceite de Oliva -1 cdta.	=	45 calorías
TOTAL	**=**	**295 calorías**

4. Papa asada con queso y brécol o "broccoli" (12 minutos)

Echa suficiente agua en un envase para microondas y calienta por 3 minutos. De este modo, cuando vayas a cocinar la papa va a estar en menos tiempo. Lava la papa y pícala por la mitad. Con un tenedor hazle pequeños agujeros tanto en la parte cortada como en la parte con la cáscara. Coloca la papa en el agua caliente y cocina por 8 minutos. Pasa la papa a un plato. Añade 3 onzas de queso rallado bajo en grasa, pedacitos de brécol y 1 cdta. de margarina libre de ácidos grasos "trans". Calienta por 1 minuto adicional.

Queso bajo en grasa-3 oz.	=	150 calorías
Papa mediana - 1	=	140 calorías
Brécol - 1/2 taza	=	25 calorías
Margarina -1 cdta.	=	45 calorías
TOTAL	**=**	**360 calorías**

5. **Hamburguesas de salmón (15 minutos)**

Coloca en una sartén con agua la hamburguesa de salmón ya adobada a tu gusto. Compra el salmón "wild", ya que tiene más ácidos grasos Omega 3 y menos contaminantes. La hamburguesa se cocina en 5 minutos aproximadamente. Puedes sustituir la hamburguesa de salmón por una de pollo o pavo bajo en grasa o con res sobre 95% de carne magra. Combina la hamburguesa con pan, lechuga y tomate (también puedes sustituir el pan por una papa asada o hervida o una ensalada con *croutons*).

Hamburguesa - 4oz.	=	170 calorías
Pan- 2 rebanadas	=	140 calorías
Lechuga y Tomate	=	10 calorías
Aceite o Margarina - 1 cdta.	=	45 calorías
TOTAL	**=**	**365 calorías**

6. Camarones a la sartén con vegetales (15 minutos)

Descongela los camarones en el horno de microondas (vienen precocidos). En una sartén sofríe a fuego moderado o bajo 2 cdtas. de aceite de oliva con ajo. Echa los camarones y cocina a fuego moderado (puedes añadir otras especias para más sabor). En una cacerola con poca agua y poca sal, echa los vegetales congelados y cocina a fuego moderado. Puedes incluir una combinación de vegetales, entre éstos: brécol, coliflor, zanahoria, guisantes, maíz y otros (que no contengan quesos o salsas). Algunas combinaciones también pueden traer pequeñas cantidades de pastas. Cuando los vegetales estén casi cocidos, escurre el agua y termina salteándolos con los camarones. Para añadir sabor a mantequilla a los camarones sin añadirles más grasa, puedes utilizar la margarina en aerosol libre de calorías.

Camarones-3 oz. (12 camarones aproximadamente)	=	80 calorías
Vegetales- 1 taza	=	70 calorías
Aceite de Oliva-2 cdtas.	=	90 calorías
TOTAL	**=**	**240 calorías**

7. Plátano maduro con pescado y vegetales (20 minutos)

Si te gusta el plátano maduro, comienza a disfrutarlo hervido, al horno o asado (¡no frito!). El plátano maduro no sólo tiene un sabor agradable, sino que se cocina en muy poco tiempo. Comienza por descongelar los filetes de pescado (toma aproximadamente 4 minutos en el horno de microondas según las libras). Echa suficiente agua en una cacerola con poca sal y coloca ésta en la hornilla a fuego moderado. Quítale la cáscara al plátano (es muy fácil si está maduro) y pícalo en pedazos pequeños para que se cocinen más rápidamente. Echa en la misma cacerola los vegetales congelados (zanahoria, brécol, coliflor y cualquiera otro que no contenga pasta, ya que los hidratos de carbonos están presentes en el plátano). En una sartén añade agua y los filetes de pescado adobados al gusto (puedes también sustituir el pescado con pechugas de pollo y el plátano con cualquiera otra vianda, como la yautía, las panas y otras). El pescado se cocina muy rápidamente (entre 5-7 minutos aproximadamente). Añade aceite de oliva a los vegetales o aceite de semilla de lino ("flaxseed oil"). Este aceite es una excelente fuente de ácidos grasos esenciales.

Pescado-3 oz.	=	165 calorías
Plátano maduro-2/3	=	140 calorías
Vegetales- 1/2 taza	=	25 calorías
Aceite de semilla de lino-1 cdta.	=	45 calorías
TOTAL	**=**	**375 calorías**

8. Canoa de carne de res, de pollo o soya (20 minutos)

Puedes variar la forma de preparar el plátano maduro haciendo canoas. Quítale la cáscara al plátano maduro y ábrelo por la mitad. En un envase para horno de microondas, cocínalo. Prepara carne molida extra "lean" (sobre 95% libre de grasa) con adobo a tu gusto. Cuando esté lista, échala al plátano maduro ya cocido. Acompaña la canoa con una combinación de vegetales como la zanahoria, el repollo y el brécol (todos vienen rallados y frescos). Añade 1 cdta. de margarina sin ácidos grasos "trans" baja en calorías y polvorea la canoa con 1 oz. de queso rallado reducido en grasa por encima para un sabor más agradable. La carne de res se puede sustituir con tiritas ("strips") de pollo congeladas (vienen ya cocidas) o con carne de soya.

Carne de res molida extra magra - 2 oz.	=	120 calorías
Plátano maduro pequeño 2/3	=	140 calorías
Queso reducido en grasa = 1 oz.	=	50 calorías
Vegetales - 1/2 taza	=	25 calorías
Margarina baja en grasas- 1 cdta.	=	15 calorías
TOTAL	**=**	**345 calorías**

9. Pastas con queso, pollo o carne de res (25 minutos)

Las pastas son del agrado de muchos en la familia. Se cocinan en poco tiempo y sólo requieren agua y sal para su preparación. En una cacerola, echa suficiente agua con poca sal. Cuando hierva, echa la pasta y espera a que se cocine (aproximadamente 15 minutos). En una sartén coloca la carne molida extra magra (puedes comprar masa redonda y pedir que la muelan) con el adobo a tu gusto. Para mejorar el sabor sin aumentar las calorías, incluye pimientos verdes y rojos y cebolla picadita. Espera a que se cocine (la carne molida tarda poco tiempo). Añade una pequeña cantidad de salsa para pastas y sirve. Si deseas ahorrar tiempo puedes sustituir la carne de res por pechuga de pollo lista para comer o queso rallado (la res o el pollo también los puedes sustituir con carne de soya). Acompaña la pasta con ensalada de lechuga, tomate y zanahorias. Las hojas de lechuga también las puedes sustituir con hojas de espinaca, que son de un sabor parecido. Para que sean bien recibidas por la familia, inclúyelas sin anunciarlas. Luego que las consuman, explícales que las hojas verdes eran de espinaca.

Carne de res molida extra magra-3 oz.	=	210 calorías
Pasta-2/3 taza	=	160 calorías
Ensalada de espinaca, tomate y zanahorias	=	25 calorías
Aceite de oliva-1 cdta.	=	45 calorías
TOTAL	**=**	**440 calorías**

Otra forma de ahorrarte tiempo en la cocina es preparar porciones extras y refrigerarlas para consumirlas al día siguiente o congelarlas si vas a tardar más de dos días en ingerirlas. De igual forma, comprar la comida congelada puede ser una opción ocasional, ya que aunque es baja en calorías, es muy alta en el contenido de sodio.

Recuerda, cuando tengas tiempo para cocinar, ¡inventa y expresa tu creatividad! Cuando no tengas mucho tiempo, considera éstas y otras opciones que puedas ir descubriendo, que sean rápidas, nutritivas y bajas en calorías. De este modo, la falta de tiempo ya no será una excusa para correr a un "fast food" y no será un problema que te detenga en la meta de cuidar tu alimentación y perder peso.

NOTA: La preparación y las porciones de estas alternativas de comidas pueden variar de acuerdo con las calorías que requiera la persona.

CAPÍTULO 20

QUÉ SELECCIONAR AL VISITAR RESTAURANTES Y "FAST FOODS"

¿Se puede seguir la "dieta" al comer fuera de la casa?

"No tienes que dejar de visitar los restaurantes y los 'fast foods' al estar en un programa de reducción de peso. Lo que debes hacer es aprender a seleccionar las opciones más saludables y bajas en calorías".

¿QUÉ SE DEBE SELECCIONAR AL COMER FUERA DE LA CASA?

Una de las grandes preocupaciones cuando se comienza una "dieta" de reducción de peso es saber qué se va a seleccionar cuando se consumen las comidas fuera de la casa. Por suerte, ya la mayoría de los "fast foods" y otros restaurantes tienen opciones más bajas en calorías. Realmente, no tienes que quedarte siempre en tu casa y evitar salir a comer. Lo que tienes que hacer es pensar mejor a la hora de escoger las comidas para hacer una selección de platos que te gusten, pero que también te ayuden a seguir perdiendo peso. Sigue las siguientes recomendaciones y no tendrás que privarte de visitar los restaurantes mientras continúas con tu meta de llegar a un peso saludable.

RECOMENDACIONES AL VISITAR UN RESTAURANTE

1. Al salir a comer fuera de la casa, trata de seleccionar un restaurante que conozcas que ofrezca comida saludable.
2. Tan pronto llegues, pídele al mozo que no traiga el pan con mantequilla.
3. Prefiere como aperitivo un caldo claro o una ensalada verde con limón o vinagre. Evita las frituras (croquetas, pastelillitos, chicharrones y otros) y la "picadera" de quesitos y otras opciones.
4. Evita los platos con quesos y salsas.
5. Si vas a comer carne de res, prefiere un corte magro como el *Sirloin* en vez del *Porter House* o el *T-bone*.
6. Si escoges carnes rojas, aves (carnes blancas), pescados o mariscos, pide que sean a la plancha, al horno o al vapor.
7. Acompaña la fuente de proteína con vegetales calientes y una porción pequeña de arroz, papa asada, viandas o pasta.

8. Si tienes dudas sobre la preparación de algún plato, solicítale al mozo que te aclare sobre los ingredientes que lleva y la forma de cocinarlo.

9. Evita los postres, pero si tienes algún antojo y tu acompañante quiere postre, pídele que te permita probarlo y consume 1 ó 2 cucharaditas. También puedes sustituir el postre por una copa de frutas.

10. Evita cualquier bebida que no sea agua. Si de todos modos deseas tomar bebidas alcohólicas, prefiere una cerveza *light*, un trago de licor fuerte o una copa de vino para toda la cena.

11. Si visitas un restaurante mexicano, recuerda que las fajitas de pechuga de pollo son buenas opciones. Puedes comer 2 ó 3 plantillas (dependiendo de las calorías que requieras) y combinas con el pollo, la ensalada y 1 cucharadita de guacamole, refrito o queso rallado.

12. Si visitas un restaurante italiano, puedes escoger pastas con camarones (son bajos en calorías). Evita las pastas con salsa Alfredo o mucho queso.

13. Si vas a un restaurante de pescados y mariscos, puedes escoger cualquier variedad, pero debes estar pendiente de la preparación y pedir que no sean fritos, al ajillo (les echan mucha cantidad de aceite), en mantequilla o empanados.

14. Si en algún caso no hay disponible comida baja en grasas o en calorías, consume menos cantidad de la que te sirvan.

15. Si crees que te pasaste de las calorías en la cena, baja al otro día las porciones de tus comidas o aumenta la cantidad de ejercicios.

RECOMENDACIONES AL VISITAR UN *FAST FOOD*

La comida regular de los *fast foods* es alta en grasas y calorías. Sin embargo, hay algunas opciones mejores que otras. Cuando vuelvas a un *fast food* jamás pronuncies las siguientes palabras: COMBO, AGRANDADO, EXTRA y DOBLE. Aunque pienses que estás haciendo una mejor inversión de dinero con esos platos, la realidad es que perder tu salud será más costoso. Recuerda que si escoges opciones con esas palabras, ¡jamás perderás peso y, por el contrario, aumentarás más libras! Cuando visites un restaurante de comida rápida escoge entre las siguientes alternativas:

1. Las ensaladas con el aderezo bajo en calorías
2. Emparedado de pollo a la parrilla sin mayonesa
3. Burrito de pollo
4. Papa asada sin mantequilla y sin queso o con poco queso. Incluye ingredientes más saludables, como el jamón de pavo y el *broccoli.*
5. Burrito o fajitas de pollo sin queso y *sour cream*
6. Pizza de queso o vegetales en masa fina
7. Pollo asado (quítale la piel) con una porción pequeña de arroz y habichuelas
8. Pollo asado con viandas, no más de dos pedazos (evita la yuca en aceite y los maduritos fritos)
9. "Wrap" de pollo con ensalada
10. Hamburguesa pequeña con ensalada sin queso o mayonesa
11. No escojas las sigientes alternativas: hamburguesa de res con queso, pollo frito, papas fritas, *nuggets*, ensalada *Ceasar* con aderezo dentro (pídelo aparte y añade sólo unas gotitas o prefiere otro aderezo bajo en calorías), refrescos y *biscuits*. Evita también las batidas y los postres como: el mantecado, el *frosty,* el *apple pie*, las galletas dulces y otros.

12. Si escoges un restaurante chino, consume una porción pequeña del arroz, pero combínalo con una carne más baja en calorías como el pollo con *broccoli*. Evita el pollo frito, las papas fritas, las costillas y las carnes con salsas.

13. En una cafetería, prefiere las viandas, ya que sólo requieren agua y sal para su preparación (no grasas) y combínalas con una porción de carne asada, al vapor o a la plancha. Evita el mondongo, los tostones, las empanadas de carne de res, el mofongo y los platos con salsas (la mayoría de las salsas requieren mantequilla y harinas para su preparación).

CAPÍTULO 21

EJERCICIO: ¿SÍ O SÍ?

La importancia y los beneficios del ejercicio.

"No te preguntes si quieres hacer ejercicio; pregúntate si quieres perder peso y mejorar tu salud".

¿POR QUÉ ES IMPORTANTE HACER EJERCICIOS?

Todo programa para perder peso que sea completo y responsable tiene que incluir o recomendar el ejercicio, ya que éste no sólo es indispensable para la salud, sino también para lograr una pérdida de libras más rápida y permanente. Sabemos que hacer una dieta de reducción de peso sin incluir el ejercicio puede llevar a la persona a bajar libras. Sin embargo, la persona perderá grasa, pero también perderá masa muscular.

La realidad es que no hay forma de mantener los músculos sólo con una dieta saludable. Para preservar la masa muscular, es indispensable una dieta con la cantidad de proteínas, hidratos de carbono, grasas y calorías que la persona requiera, pero también es importante el ejercicio. ¿Por qué? Porque si los músculos no se ejercitan, simplemente se pierden. Además, con el paso de los años y los cambios hormonales se van perdiendo los músculos y se va ganando grasa corporal (sobre todo en el área de la cintura). Este proceso natural de acumulación de grasa y pérdida de masa muscular ocurre tanto en los hombres como en las mujeres. Por lo tanto, para poder perder grasa y mantener o fortalecer los músculos, es necesaria la actividad física regular o un programa estructurado de ejercicios.

Los beneficios del ejercicio son muchos y los podemos enumerar de la siguiente forma:

El ejercicio aumenta:

- La capacidad del corazón y los pulmones
- La circulación y el volumen sanguíneo
- La fuerza y la masa muscular
- El nivel de energía

- El nivel de HDL o colesterol “bueno”
- El metabolismo
- La pérdida de libras
- La permanencia en peso
- La masa ósea (sobre todo el ejercicio de pesas o de resistencia)
- Las endorfinas en el cerebro y la sensación de bienestar
- El apetito sexual
- El alerta mental
- El autocontrol en la dieta
- La actitud positiva y la autoestima

El ejercicio reduce:

- Riesgos de enfermedades cardiovasculares, diabetes, ciertos tipos de cáncer y la osteoporosis
- Los problemas de obesidad
- El estrés físico y mental
- La irritabilidad y la depresión
- Los problemas de insomnio
- El nivel de LDL o colesterol “malo”
- Los niveles de triglicéridos
- La glucosa en la sangre
- La presión arterial y el pulso en descanso
- El nivel de grasa en el cuerpo

- El estreñimiento
- El hambre (si se hace en forma moderada)
- Los problemas musculoesqueletales
- El envejecimiento

La pregunta inevitable es, si el ejercicio produce tantos beneficios, ¿por qué tan pocas personas lo practican regularmente? Con el ejercicio pasa igual que con la sana alimentación: muchas personas conocen la información, saben de su importancia, pero ¡pocos lo practican!

La mayoría de las personas (incluyendo a muchos de mis pacientes) ofrecen distintas razones (o excusas) para no hacer ejercicios. La más frecuente es la alegada falta de tiempo. Ellos me argumentan que no tienen tiempo para ir a un gimnasio. Cuando les explico que no tienen que ir a un gimnasio y que pueden comenzar con un ejercicio tan simple como el caminar, les parece muy bien. Luego de un mes regresan sin haber hecho las caminatas y la razón (o excusa) que me dan es que no tienen tiempo para salir de la casa a caminar o que los días han estado lluviosos. Cuando les sugiero la opción de hacer los ejercicios en la casa, ya sea con una trotadora o con una bicicleta estacionaria mientras ven algún programa de televisión, les parece fabuloso. Sin embargo, al cabo de un tiempo, la trotadora empieza a funcionar para colgar ropa en ella y la bicicleta empieza a molestar en el "family"...

Muchos pacientes me expresan que simplemente no les gusta hacer ejercicios. A ellos siempre les contesto de forma humorística: "A mí no me gusta fregar y, sin embargo, tengo que hacerlo". En realidad, yo detesto fregar, pero les explico que cuando voy a la cocina no me pregunto si quiero fregar, (por supuesto, la respuesta sería ¡no!). Me pregunto si me gusta ver la cocina limpia y, como la respuesta

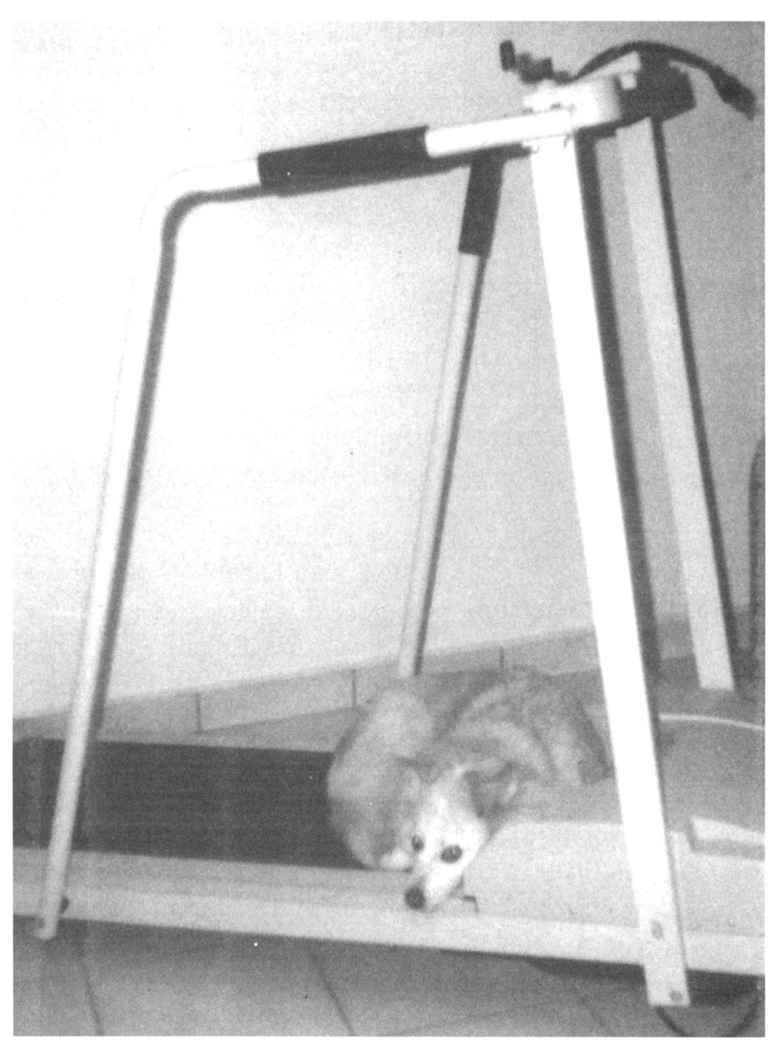

Hace muchos años me lesioné la espalda y estuve varios meses en recuperación. Tuve que dejar de usar la trotadora y ¿adivina quién la comenzó a usar? Mi perrita, Sasha. Mientras yo descansaba en la cama, ella se acomodaba en la trotadora…

Si dejas de usar la trotadora para caminar, empezará a tener otros usos. ¿Tienes una máquina de caminar en la casa? ¿Para qué se usa?

es afirmativa, entonces, no tengo más opción que comenzar a fregar. De igual modo, puedes hacer tú en cuanto al ejercicio. No te preguntes si quieres hacer ejercicios (esa pregunta no procede). La pregunta importante es si quieres perder peso y mejorar la salud. Si la respuesta es afirmativa, entonces, no lo sigas pensando, ¡deja de dar vueltas y simplemente ponte las tenis y comienza con el ejercicio! De todas formas, lo más difícil realmente es establecer la rutina. Luego de llevar un tiempo haciendo los ejercicios, las personas empiezan a sentirse tan bien que después no quieren dejar de hacerlo. El ejercicio produce una sensación de tanto bienestar que muchos expresan que sienten "una adicción positiva" con el ejercicio.

Por otro lado, no puedo dejar de señalar que, aunque el ejercicio tiene gran importancia para la salud y para lograr adelgazar, si la persona no controla las calorías que ingiere no va a poder reducir las libras que desea bajar. Perder peso, como ya explicamos en el segundo capítulo, requiere una ecuación matemática, por lo que si las calorías que se gastan en el ejercicio se recuperan en la comida, la persona se quedará en el mismo peso. Esta situación la enfrentan muchas personas que, en ocasiones, llevan meses asistiendo a un gimnasio y, sin embargo, no ven la reducción en peso esperada. Aunque el ejercicio aumenta el metabolismo y el gasto de energía, bajar la ingestión de calorías es necesario para poder provocar la pérdida de libras. Además, las calorías que se gastan con el ejercicio no son tantas como para no tener que controlar las porciones de los alimentos. Examina, por ejemplo, la siguiente tabla en la cual se compara el gasto de calorías en distintas actividades. Es importante recordar que, aunque se realice la misma actividad, no todos queman las mismas cantidades de calorías, ya que mientras más pese la persona más calorías gastará.

Actividad	Calorías/Libras/\Minutos
Barrer el piso	.024
Planchar	.028
Lavar los platos	.012
Bailar a ritmo moderado	.030
Caminar rápido	.035
Trotar	.071

Ejemplo:

Para quemar las calorías de unas papas fritas "grandes" (500 calorías aproximadamente) una mujer de 150 libras de peso tendría que:

Actividad	Minutos	Calorías
Barrer	140	504
Fregar	278	500
Bailar	112	504
Caminar	95	498
Trotar	47	500

Definitivamente, ¡es preferible trotar que fregar o, mejor aún, evitar las papas fritas!

La efectividad en la reducción en peso se logra, por un lado, aumentando el gasto de energía a través del ejercicio y, por otro, bajando la ingesta de calorías a través de una alimentación balanceada controlada en porciones. Así, cuando el cuerpo necesita la energía y no la tiene en su totalidad a través de los alimentos, comienza a utilizar el tejido adiposo (la grasa del cuerpo) para producir la energía. De este modo, las reservas de grasa del cuerpo sirven de fuente de energía y así se produce la pérdida de peso. Sin embargo, si la dieta suple la totalidad de las calorías, el cuerpo no utilizará las reservas de grasa.

Es conveniente también aclarar que, si por el contrario, la alimentación no es balanceada y tiene muy pocas calorías, el cuerpo utilizará no sólo las grasas, sino también la masa muscular para producir la energía. Bajo estas condiciones, la persona reducirán el peso, pero también perderá los músculos y se verá, como algunos dicen, "enferma". Es por eso que todo programa de ejercicios debe ir acompañado de una dieta balanceada con la cantidad de proteínas, hidratos de carbono, grasas y calorías que la persona requiera. La combinación de una alimentación baja en calorías con un programa regular de ejercicios es lo que asegurará una pérdida de peso saludable y efectiva.

La alimentación balanceada y el ejercicio son las herramientas indispensables y más efectivas para tratar el sobrepeso y la obesidad, no sólo en los adultos, sino también en los(as) niños(as) y los adolescentes. En estos grupos, los problemas del exceso de peso han aumentado dramáticamente en las últimas décadas. Por esta razón, en el próximo capítulo, haré un paréntesis en la discusión del problema del sobrepeso en los adultos para atender esta situación en los menores. Las serias repercusiones en la salud de éstos urge la atención y la pronta acción de todos los adultos.

CAPÍTULO 22

LA OBESIDAD EN LOS(LAS) NIÑOS(AS) Y LOS ADOLESCENTES

Establece buenos hábitos de alimentación en los(as) niños(as) desde el comienzo.

"La sobrealimentación en los(as) niños(as) no los va ayudar a crecer mejor, sino que los pondrá en riesgos de desarrollar muchas enfermedades".

LOS PROBLEMAS DEL SOBREPESO Y LA OBESIDAD EN LA NIÑEZ Y LA ADOLESCENCIA

La obesidad en la niñez, al igual que en la adolescencia, lamentablemente ha ido aumentando dramáticamente en las últimas décadas. Actualmente, no sólo tenemos un número mayor de niños, niñas y adolescentes obesos, sino que el grado de obesidad o la cantidad de libras en exceso es mucho mayor que hace 20 años. Estos problemas de obesidad se observan desde muy temprana edad. Por mi experiencia como nutricionista, puedo señalar que este problema es alarmante y que los casos de niños menores de 7 años con 100 libras o más de peso y adolescentes de 12 y 13 años con un peso de sobre 250 libras no son excepciones, sino más frecuentes de lo que imaginamos.

Son muchos los factores que contribuyen al desarrollo de esta condición. Entre los más importantes podemos mencionar los siguientes: el factor hereditario, la excesiva ingesta de alimentos y la inactividad física. Cuando hablamos del factor hereditario, nos referimos a cierta "predisposición" genética que algunas personas pueden tener respecto a la obesidad. Esta "tendencia" a desarrollar problemas de peso se evidencia con estudios que reflejan que cuando tanto el padre como la madre son obesos, el(la) niño(a) tiene un 80% de posibilidades de ser igualmente obeso. Si un sólo padre tiene problemas de peso, las posibilidades bajan a un 40%. En el caso de que ambos padres se encuentren en un peso saludable, las probabilidades de que el(la) hijo(a) sea obeso(a) se reducen a un 20%. Sin embargo, aunque el factor genético tiene cierta responsabilidad, no debemos perder de vista que, sin importar la carga genética que tengamos, el estilo de vida y los hábitos alimentarios son los que harán que esa influencia genética se desarrolle o se quede sin manifestar.

El segundo aspecto importante al considerar y tratar la obesidad en la niñez es el de la ingesta de alimentos. Frecuentemente, encontramos que los(as) niños(as) obesos(as) consumen comidas altas en grasas, azúcares y calorías, además de muchos productos de poco valor nutritivo. Esta alimentación poco saludable es en la mayoría de los casos el patrón alimentario, no sólo del niño(a) con problemas de peso, sino el de la familia en general. Estos pobres hábitos alimentarios se agravan con la vida sedentaria que, al igual que los adultos, llevan nuestros niños(as). Actualmente, la actividad física está marcadamente reducida debido a la proliferación de los juegos pasivos y el uso de máquinas electrónicas ("Playstation", "Xbox", "Gamecube"), la computadora y el televisor. Esta combinación de un mayor consumo de calorías diarias y una menor actividad física es la gran responsable del surgimiento del serio problema de la obesidad en los(as) niños(as).

A medida que pasan los años, los problemas del sobrepeso en la niñez y la adolescencia, lejos de resolverse, siguen aumentando. Lo que señalan las estadísticas es que tendremos en el futuro una población adulta más enferma que la que tenemos actualmente. Es indispensable, por lo tanto, concienciar a los padres, madres y profesionales de la salud sobre la necesidad de prevenir y tratar la obesidad en edades tempranas. La importancia de este asunto recae, en que no sólo se trata de la estética y de la ropa (la queja principal de muchas madres es que no consiguen ropa bonita o la que encuentran no les queda bien a sus hijos), sino también de un problema de salud.

La obesidad tiene una relación directa con muchas enfermedades y ya vemos en estos(as) pequeños(as) unas condiciones típicas de adultos como: los niveles elevados de colesterol y triglicéridos, la hipertensión arterial y la Diabetes Tipo 2. Recuerdo, por ejemplo, a mi primer paciente en la práctica privada, un niño de 4 años con niveles de colesterol en 260 mg/dl. Lo único que comía eran: papas fritas, "nuggets", pizza y "hot dogs". Además, no conocía las frutas y nunca había probado vegetal alguno. La necesidad de una intervención temprana para modificar sus hábitos de alimentación, aumentar la variedad de alimentos y corregir los niveles elevados de colesterol no debía posponerse. Por esta razón es que esa creencia popular de que: "A los niños no se les pone a dieta y hay que dejarlos comer lo que ellos quieran, ya que cuando les llegue el desarrollo, ellos rebajan", está muy lejos de ser correcta y es una posición ciertamente irresponsable. La experiencia muestra que, según van pasando los años, en vez de resolverse, los problemas alimentarios se van complicando.

La obesidad, por otro lado, también limita en los(as) niños(as) las destrezas motoras, la ejecutoria en los deportes y las tareas diarias. De igual forma, muchas veces estos(as) niños(as) sufren la burla de los(las) compañeros(as) de clases y el prejuicio social, lo que puede llegar a afectar su autoestima y su proceso de socialización. Además, si la obesidad no se corrige en la niñez temprana, la persona crecerá con más cantidad de células de grasa y con un tamaño mayor (hiperplasia e hipertrofia de las células adiposas), lo que hará que luego en la etapa adulta se le haga más difícil el perder peso.

Para corregir el problema del exceso de peso en los(as) niños(as) y adolescentes, primeramente debemos llevarlos a una evaluación pediátrica completa, ya que en ocasiones junto con la obesidad pueden haber otras condiciones médicas como: hemoglobina baja, colesterol alto, hipoglucemia e hiperglucemia (niveles bajos y altos de glucosa en la sangre, respectivamente) y otras. Luego debemos buscar ayuda profesional en el campo de la nutrición para que, sin afectar el desarrollo físico (es importante suplirle todos los nutrimentos que necesita), podamos llevar al(a la) niño(a) o adolescente a un peso razonable. Ayudar al niño(a) o adolescente a perder peso bajo supervisión profesional, reduce el riesgo de que ellos lo hagan por su cuenta y disminuye las posibilidades de desarrollar desórdenes de alimentación como anorexia nerviosa y bulimia. La cantidad de calorías que se les provea debe ser la suficiente para llenar sus requisitos de energía. De igual modo, la alimentación debe ser balanceada con la cantidad de proteínas, hidratos de carbono y grasas que el(la) niño(a) requiera de acuerdo con su edad, sexo y actividad física. Aunque este proceso debe ser uno individualizado, existen algunas estrategias generales que pueden ayudar a las madres y los padres a trabajar con el problema del sobrepeso en sus hijos(as).

GUÍA BÁSICA:

Los adultos deben comprender que el tratamiento de la obesidad a temprana edad debe ser uno lleno de calma y empatía. Los padres y las madres deben animar a sus hijos(as) mostrando entusiasmo y cierta **firmeza** en el cambio hacia la nueva alimentación saludable, pero evitando las presiones y los castigos. Las metas principales son:

- detener el aumento excesivo en peso
- mejorar los hábitos de alimentación y estilo de vida
- bajar de peso (la reducción de 1 libra o menos a la semana se considera segura y beneficiosa)

Las madres y los padres pueden ayudar a sus hijos en la implantación de los nuevos hábitos de alimentación manteniendo **consistencia** no sólo entre ellos, sino también en el círculo de la familia extendida (abuelos, tíos, etc.) y las amistades. A continuación, presento una guía general con las recomendaciones más importantes y efectivas para tratar la obesidad en los(as) niños(as) y adolescentes.

1. Hazle saber a tu hijo(a) que su valor como persona, su éxito y el amor que le tienes no dependen de lo que pese o las libras que baje. Aclárale que la modificación en la alimentación es con el objetivo de mejorar el peso para ganar salud y prevenir enfermedades.
2. Selecciona bien los alimentos cuando hagas la compra en el supermercado. Evita comprar productos al-

tos en calorías (como las donas, los dulces, los refrescos y productos de bolsitas) para luego prohibírselos al niño(a) en la casa. Si hay algún otro miembro en la familia que desea consumir estos productos, explícale que los nuevos cambios son beneficiosos para todos. Enséñale a tus otros hijos(as) que cuando algún miembro de la familia tiene un problema, en cierto modo, todos deben involucrarse en el mismo. Así aprenderán que uno de los deberes cuando se es familia es ayudar y apoyar en toda situación. Si de todas formas, hay alguien que desea ingerir estos productos, pídele que lo haga en un momento en que eso no sea una "tentación" para el(la) niño(a) con problemas de peso.

3. Al preparar las comidas, utiliza métodos saludables como: hornear, hervir, asar o guisar (sin añadir grasas). ¡Evita freír los alimentos!

4. Promueve un mayor consumo de agua a través del día y el de un vaso antes de comenzar a comer (de esta forma tu hijo se llenará con menos cantidad de comida).

5. En lo que tu niño(a) espera por una evaluación profesional, comienza por reducir el tamaño de las porciones y evita que repita en las comidas.

6. Cambia el jamón, el queso y la leche regular por otros bajos en grasa.

7. Reduce el uso de margarina, mantequilla, aceites y mayonesa (aunque cierta cantidad de grasa es indispensable).

8. Ten disponible y ofrece una variedad de frutas, vegetales, cereales y panes altos en fibra. Si al principio tu hijo(a) rechaza algún alimento, no lo(la) obligues a comérselo. No te frustres y tampoco pienses que

jamás el niño o la niña aprenderá a consumirlo. Espera varios días y vuelve a intentarlo modificando su presentación o combinándolo con otro alimento que le guste.

9. Si tu hijo(a) no quiere dejar de consumir productos poco saludables, trata entonces de que reduzca la cantidad o la frecuencia con que los ingiere.

10. No premies o castigues con alimentos la conducta de tus niños(as).

11. Cuida la selección de alimentos no sólo en las comidas principales sino también en las meriendas. Opciones de meriendas saludables son: las frutas frescas o envasadas sin azúcar añadida, el "yogurt light", cereales bajos en calorías con leche baja en grasa y jugos 100% puros.

12. Procura que el niño reduzca el tiempo dedicado a la televisión y a los juegos pasivos y que aumente el gasto de calorías a través de: la bicicleta, el caminar, la natación, los juegos electrónicos interactivos o que vienen con *pads* para bailar y cualquier otro deporte o actividad física.

NOTA: Cuando mi hijo tenía tres años, estaba fascinado con el personaje de S*uperman*. Yo le decía que él era fuerte porque comía brécol. Cada vez que mi hijo probaba el vegetal no le gustaba, lo rechazaba y me preguntaba: "Superman, ¿come otra cosa?". Por supuesto, yo le decía que sí y él seguía comiendo otros alimentos. Sin embargo, un día, después de pasar una tarde con el payaso Remi en una actividad de reforestación, cuando le serví su comida comenzó a mirar el brécol que estaba en mi plato y me dijo: "Mami, ese vegetal se parece a un arbolito de los que estuvimos sembrando hoy". Le expliqué que si aprendía a comerlo iba a crecer tan fuerte como un árbol. ¡Hechizo mágico! En ese momento lo probó, le gustó y desde ese día siempre come brécol.

13. No impongas los cambios en el estilo de vida; más bien explica su importancia y estimula a comenzar y a seguir los mismos.

14. Establece estos cambios en la alimentación como parte de un estilo de vida saludable para toda la familia y no como "una dieta especial" para el(la) niño(a) con problemas de peso.

15. Recuerda que la forma en que mejor aprenden los(as) niños(as) es a través del ejemplo. Así que, aprovecha la situación y mejora también tu alimentación diaria.

16. Nunca compares a tu hijo(a) con sus hermanos o con otros niños(as).

17. Jamás ridiculices a tu hijo (evita agarrarle los rollitos de grasa de la cintura) ni permitas que otros se mofen de su aspecto físico porque esté con sobrepeso u obesidad.

18. Reconoce todo esfuerzo que realice tu hijo(a) y sus logros, por pequeños que sean, como el de no continuar aumentando de peso o el de comenzar a usar la bicicleta.

19. Al visitar los *fast foods,* prefiere el emparedado de pollo a la parrilla sin mayonesa, el burrito de pollo, la pizza de queso en masa fina o la combinación de pechuga a la plancha con papa al horno o majada. También puedes sustituir la papa con una vianda o una porción pequeña de arroz y habichuelas.

20. Si deseas premiar el esfuerzo de tu hijo(a), no lo hagas con comida. Es mejor ofrecerle artículos relacionados con la música, la ropa, las películas y otros. De todos modos, hazle saber que lo más importante no son los premios, sino el lograr una mejor salud y la satisfacción de sentirse mejor consigo mismo(a). Si deseas ofrecerle ocasionalmente pequeñas porciones

de sus platos favoritos, hazlo como parte del nuevo estilo de vida, que incluye ocasionalmente esos alimentos, pero no como premio.

La niñez es la mejor etapa para establecer buenos hábitos y adquirir valores. Estos hábitos y valores pueden ir desde la higiene personal, la organización y la solución de conflictos hasta el amor a la patria y la responsabilidad por conservar la naturaleza. Los buenos hábitos de alimentación y el cuidado del cuerpo para mejorar la salud son igualmente importantes y deben estar presentes en la vida diaria de todo niño(a) y todo adolescente. Enseñar buenos hábitos de alimentación no tiene que ser difícil. Mi hijo, por ejemplo, tiene 13 años y nunca en su vida ha probado los refrescos carbonatados y tampoco ha comido una papa frita. Aunque el consumo ocasional de estos productos no va a matar a ningún(a) niño(a), de todos modos, si no son nutritivos, ¿para qué enseñarle a ingerirlos?

Establecer buenos hábitos de alimentación, como cualquier otro *hábito,* va a crear en los(as) niños(as) una conducta permanente que va a formar la base para un estilo de vida saludable. Estas prácticas van a tener beneficios no sólo en el desarrollo físico, el control de peso y la prevención de enfermedades, sino también en el aspecto académico y en el emocional. Además, el establecimiento de estos buenos hábitos de alimentación, la práctica del ejercicio físico y los valores sociales importantes son lo que construirán la calidad de vida que tus hijos(as) tengan en el futuro. Estos *hábitos* también formarán el mejor seguro de salud que podrás brindarles a tus niños(as) con consecuencias tanto a corto como a largo plazo en sus vidas. Con la lectura del próximo capítulo, comprenderás mejor la importancia de establecer y fomentar los buenos hábitos de alimentación desde la niñez.

CAPÍTULO 23

MEJORA TU NUTRICIÓN Y GANA SALUD

Buena alimentación para: mantenerte joven, prevenir el cáncer y enfermedades cardiovasculares y mejorar tu vida sexual.

"Que tu alimento sea la medicina y tu medicina sea el alimento".
Hipócrates (Padre de la Medicina)

LA IMPORTANCIA DE LA BUENA NUTRICIÓN

En los capítulos anteriores, he hablado de la obesidad, sus riesgos para la salud y los muchos beneficios que se obtienen al perder peso. He señalado que la clave para perder libras está en bajar el consumo de calorías y aumentar el gasto de energía. Sin embargo, esa reducción calórica no puede hacerse al azar, como vimos en el Capítulo 15. Tiene que llevarse a cabo de forma planificada con la selección correcta de los alimentos para que a la vez que se pierda peso, se mejore el estado de nutrición y la salud.

En este capítulo, presento una síntesis (¡aunque la información de este tema puede constituir un libro completo!) de cómo la buena alimentación ayuda a mejorar la salud y a prevenir muchas enfermedades. Seleccionar bien lo que se come en la alimentación diaria tiene gran importancia, ya que tanto el proceso de la regeneración de las células como el de la degeneración que culmina en enfermedades están determinados en gran medida por los alimentos que se consumen. A pesar de que, como me dijo un paciente: "Todos(as) algún día nos vamos a morir", mientras tengamos vida debemos comprometernos con cuidar nuestro organismo, y agradecer así el privilegio de la salud. De esta forma, también podremos prevenir enfermedades crónicas y mantener la calidad de vida.

Comenzaré hablándote de la nutrición y el envejecimiento, tema actualmente de mucho interés. Luego te expondré la relación entre la alimentación y el cáncer, enfermedad que, lamentablemente, sigue en aumento. Además, te explicaré cómo prevenir las enfermedades del corazón, que todavía siguen siendo la primera causa de muerte tanto en hombres como en mujeres. Finalmente, te ayudaré a ver cómo la buena nutrición es importante para el funcionamiento de todo tu cuerpo, incluyendo tu vida sexual.

Recuerda, es importante lograr y mantener un buen peso, pero es más importante aún hacerlo de tal modo que mientras pierdas peso, ganes salud y puedas prevenir enfermedades. Al fin y al cabo, la razón principal para llegar a un peso saludable es precisamente ¡la salud!

LA NUTRICIÓN: CLAVE PARA PREVENIR EL ENVEJECIMIENTO

Hay un refrán popular que dice: "el tiempo no pasa en vano". Aunque es imposible evitar que los años pasen, sí es importante prevenir el envejecimiento prematuro y tratar de que con el paso del tiempo nuestra piel sufra el menor daño posible.

La salud de la piel, el envejecimiento de las células y el ritmo de este proceso en una persona se afecta por distintas razones. Tanto los factores genéticos como la exposición al sol y el estilo de vida son elementos que afectan la salud de nuestra piel. Dentro del estilo de vida, el uso del cigarrillo, el abuso de las bebidas alcohólicas y la mala selección de alimentos en la comida diaria tienen repercusiones directas en las células de nuestro organismo, no sólo porque aumentan los riesgos de enfermedades como las cardiovasculares, el cáncer y la diabetes, entre otras, sino también porque aceleran el proceso del envejecimiento celular. A pesar de que factores como los genéticos no pueden cambiarse, sí es posible modificar el estilo de vida de tal modo que se logre un buen estado de salud y juventud.

La ciencia de la nutrición ha adquirido mucha importancia en los últimos años. Cada vez son más las distintas autoridades en nutrición que confirman su relevancia, no sólo para la prevención de enfermedades, sino también en la discusión del antienvejecimiento. Es de muchos conocido que, aunque es necesario cuidar la piel con cremas y distintos tratamientos tópicos, el cuidado más importante tiene que comenzar nutriendo adecuadamente las células del organismo. Si no seleccionamos correctamente los alimentos que consumimos, nuestro cuerpo no recibirá los nutrimentos que necesita y, por lo tanto, la efectividad en los tratamientos de antienvejecimiento se verá reducida. Es decir, hay que comenzar a cuidar la piel de "adentro hacia afuera", entendiendo que la nutrición desempeña un papel clave para acelerar o reducir la velocidad del proceso del envejecimiento.

Una de las teorías que actualmente se presenta al hablar del envejecimiento es la de la "inflamación celular". Lo que se ha encontrado es que tanto las enfermedades como el envejecimiento son el resultado de la inflamación de las células en nuestro organismo. Los dos factores que más precipitan esta inflamación en las células son el estrés y la alimentación no saludable. El estrés, entre otras razones, porque aumenta la producción de hormonas como el cortisol. Esta hormona es necesaria en los momentos de crisis en el cuerpo, pero en unos niveles consistentemente elevados resulta tóxica al organismo.

Por otro lado, se ha encontrado que en la comida es el azúcar el causante principal de la inflamación celular. El azúcar aumenta los niveles de glucosa en la sangre lo cual, a su vez, lleva a una producción mayor de insulina. Este nivel elevado de glucosa junto al de la insulina lleva a un incremento en la glucosilación (proceso nocivo en el cual las moléculas de glucosa se unen a las moléculas de proteínas en el organismo) y también a la formación de los radicales libres. Estos radicales libres dañan las células del organismo y desencadenan múltiples reacciones químicas que llevan a la inflamación de las células, daño al colágeno, aumento en el envejecimiento y riesgos de enfermedades. ¿Qué se puede hacer?

Para combatir la inflamación celular y, por lo tanto, el riesgo de enfermedades y el envejecimiento de las células debes, por un lado, minimizar el consumo de azúcares refinadas y, por otro, aumentar el consumo de alimentos que te protejan de los radicales libres y la inflamación de las células. Los alimentos que son fuentes de hidratos de carbono simples y azúcar refinada son los dulces, los postres, las sodas carbonatadas y los productos de repostería. Los alimentos que son fuentes de hidratos de carbono complejos, como los panes y cereales altos en fibra y las viandas en porciones controladas, sí se pueden consumir. Se debe aumentar el consumo de las frutas y los vegetales, ya que estos grupos de alimentos son indispensables para obtener sustancias que nos protejan de los radicales libres. Además, la comida diaria debe también aportar los distintos nutrimentos necesarios para el bienestar del cuerpo y la salud de la piel. En la próxima página, te presento una lista de algunos nutrimentos importantes para la piel, sus funciones y sus fuentes alimenticias.

NOTA: Los radicales libres son unas sustancias que tienen un par de electrones o más sin parear. Los electrones tienen carga negativa y se encuentran usualmente en pares para lograr una mayor estabilidad. Cuando un electrón se encuentra libre surge inestabilidad y se producen múltiples reacciones químicas nocivas al organismo. Aunque el tiempo de vida de los radicales libres es de fracciones de segundo, el daño es irreversible. Los radicales libres pueden destruir las membranas protectoras de la células y aceleran el proceso de envejecimiento de las mismas. También aumentan los riesgos de desarrollar enfermedades como el cáncer, problemas cardiovasculares y otras. Los nutrimentos que son antioxidantes neutralizan la acción de los radicales libres. Los fitonutrientes, la vitamina C y la E son algunos de los antioxidantes que se encuentran en los alimentos.

Nutrimentos	Funciones	Fuentes Alimenticias
1. Ácidos Grasos Omega-3	Evitan la resequedad de la piel. Fortalecen el sistema inmunológico. Mejoran el funcionamiento del cerebro y reducen los riesgos de enfermedades cardiovasculares y cáncer.	Salmón "Wild", Sardinas, Macarela Aceite de Semilla de Lino y Canola, *Walnuts*
2. Ácidos Grasos Omega-6	Son importantes para la salud de la piel, el cerebro y el corazón.	Nueces y Semillas, Aceites de: Ajonjolí, Semilla de Uva, Maíz y Soya
3. Vitamina A	Protege la salud del epitelio (capa más externa de la piel). Aumenta la capacidad del sistema inmunológico.	Zanahoria, Calabaza, Mangó, Papaya, Brécol, Espinacas, Batata Mameya
4. Vitamina C	Estimula la producción de las células que forman el colágeno y la elastina. Es un antioxidante.	Frutas Cítricas, Brécol y Tomate

Nutrimentos	Funciones	Fuentes Alimenticias
5. Magnesio	Junto al calcio, ayuda a mantener el tono muscular.	Cereales de Salvado ("Bran"), Almendras Garbanzos, Lentejas y Espinaca
6. Zinc	Es necesario para reparar el tejido.	Huevos, Pescados, Aves, Res, Cereales de Salvado y Semillas de Calabaza
7. Fitonutrientes	Combaten los radicales libres. Protegen del daño del sol. Previenen el cáncer.	Manzanas, Brécol, Granos (Habichuelas, Lentejas y otras), Ajo y Cebolla, Uvas Rojas, Té Verde, *Blueberries*

RECOMENDACIONES GENERALES PARA MANTENER UNA PIEL SALUDABLE

1. Toma mucha agua todos los días para mantener bien hidratada la piel y eliminar toxinas. Para saber la cantidad de agua en onzas que requieres diariamente, divide tu peso en libras entre 2 (ver Capítulo 17).

2. Ingiere frutas y vegetales diariamente, ya que son excelentes fuentes de vitaminas, minerales y fitonutrientes que combaten los radicales libres.

3. Consume grasas saludables como el aceite de semilla de lino ("flaxseed oil"), el aceite canola, el aguacate, el ajonjolí, las nueces y las semillas.

4. Aumenta la ingesta de pescados que son buenas fuentes de Omega 3 como el salmón y las sardinas. Compra los pescados, preferiblemente que digan en la etiqueta "wild" (indica que no son de criaderos), ya que se ha encontrado que tienen más aceites esenciales y menos contaminantes.

5. Evita los dulces, los refrescos y los platos con azúcar refinada.

6. Practica regularmente el ejercicio para mejorar la circulación sanguínea y la oxigenación de las células.

7. Evita el cigarrillo.

8. Limita las bebidas alcohólicas y, de consumirlas, prefiere el vino tinto.

9. Condimenta tus comidas con ajo, cebolla, orégano y perejil, ya que son buenas fuentes de antioxidantes.

10. Controla las porciones de los alimentos para mantener un peso saludable.

11. Descansa y duerme lo suficiente. Las horas de sueño profundo son indispensables, ya que durante este tiempo es que aumenta la regeneración celular y la producción de hormonas importantes como la del crecimiento (HCH). Esta hormona ayuda a mantener la buena proporción de grasa y músculo en el cuerpo y a mantener la piel más joven.

12. Busca formas saludables de manejar el estrés. El estrés promueve el envejecimiento, el aumento en peso y los riesgos de enfermedades.

LA NUTRICIÓN: CLAVE PARA PREVENIR EL CÁNCER

El cáncer es la segunda causa de muerte en Puerto Rico y los Estados Unidos. A pesar de los muchos adelantos en el tratamiento y la detección temprana, el diagnóstico de esta enfermedad sigue siendo uno grave y mortal en muchos casos. Cuando se habla del cáncer, usualmente se piensa que se está hablando de un enemigo frente al cual no se puede hacer nada. Sin embargo, aunque existen elementos determinantes como el historial familiar que no se puede cambiar, muchos de los otros factores que aumentan los riesgos, como el estilo de vida y la alimentación, sí se pueden modificar para reducir las posibilidades de desarrollar esta enfermedad.

Una herramienta de gran importancia es la nutrición. A pesar de que los factores de riesgo varían para los distintos tipos de cáncer, hay unas recomendaciones básicas que te pueden ayudar en la prevención general de esta enfermedad. La siguiente guía presenta los puntos más importantes para ayudar a prevenir el cáncer.

RECOMENDACIONES GENERALES PARA PREVENIR EL CÁNCER

1. **Mantén un peso saludable.**

   Está comprobado que la obesidad aumenta en la mujer el riesgo de cáncer de mamas y de endometrio y en ambos sexos, el cáncer de colon.

2. **Limita el consumo total de grasas tanto polidesaturadas como saturadas.**

   Las dietas altas en grasas se asocian con un mayor crecimiento de tumores. Fuentes de grasas polidesaturadas son: el aceite de maíz, las margarinas y la mayonesa. Fuentes de grasas saturadas son: la mantequilla, la manteca, el aceite de coco, la tocineta, la crema agria y el queso crema.

3. **Prefiere las grasas monodesaturadas.**

   Estas grasas, como el aceite de oliva, canola, el aguacate y las semillas, no aumentan el riesgo de cáncer. Grasas como el aceite de semilla de lino ("flax seed oil") pueden ayudar a minimizar los riesgos de esta enfermedad ya que reducen el crecimiento de tumores.

4. **Incluye buenas fuentes de fibra en tus comidas.**

   Definitivamente, la fibra ayuda a prevenir ciertos tipos de cáncer como el de colon y el de mamas. Se entiende que la fibra, a través de la formación de las heces fecales, ayuda en la eliminación de toxinas y sustancias que aumentan el riesgo de cáncer.

5. **Evita los alimentos ahumados.**

   Las carnes o algunos tipos de jamones, tocineta y cortes fríos, aunque sean bajos en grasa, si son ahumados ("smoked") aumentan el riesgo de desarrollar cáncer.

6. **Reduce el consumo de alimentos con preservativos, particularmente los que tengan nitritos y nitratos.**

   Los nitritos reaccionan con otros componentes produciendo potentes cancerígenos llamados nitrosaminas. Éstos se encuentran en los productos encurtidos, ahumados, curados en sal y embutidos.

7. **Limita los alimentos a la barbacoa o al carbón.**

   El contacto directo de la grasa y de la proteína de las carnes con el fuego aumenta la producción de los hidrocarbonos aromáticos policíclicos y los pirosalatos (sustancias cancerígenas). Para reducir la formación de estas sustancias, marina las carnes y cocina las mismas a fuego moderado.

8. **Aumenta el consumo de vegetales y frutas.**

   Los vegetales y las frutas son excelentes fuentes de fitonutrientes. Los fitonutrientes, también conocidos como fitoquímicos, son unas sustancias especiales (no son vitaminas o minerales) que, además de darles color y sabor a algunos alimentos, tienen unas propiedades muy potentes para fortalecer el sistema inmunológico, prevenir el cáncer y las enfermedades del corazón. Se han descubierto miles de fitonutrientes en los alimentos. Entre los más importantes y conocidos están los siguientes.

Fitonutriente **Fuentes**	**Funciones**
1. **Betacaroteno** Calabaza, Zanahoria	Fortalece el sistema inmunológico.
2. **Licopeno** Tomate, Melón de Agua	Ayuda a prevenir el cáncer de próstata.
3. **Luteína** Espinaca, Brécol Coles de Bruselas	Reduce el riesgo de catarata, la degeneración macular y el cáncer de pulmón.
4. **Zeaxantina** Espinaca, Brécol, Habichuelas Tiernas, Lechuga Romana	Protege los ojos del daño del sol.
5. **Criptoxantinas** Espinaca, Brécol, Habichuelas Tiernas, Mangó, Papaya	Protegen del cáncer de cerviz, útero y vagina.
6. **Astaxantinas** Salmón y Camarones	Son anticancerígenas y mejoran la salud del corazón.
7. **Limoneno** Frutas Cítricas (Limón, Toronja, China)	Ayuda a prevenir el cáncer del seno y mejora la obstrucción pulmonar.
8. **Saponinos** Nueces y Granos (Habichuelas, Garbanzos, Lentejas)	Mejoran el sistema inmunológico y previenen mutaciones genéticas.

Fitonutriente Fuentes	Funciones
9. **Catequinas** Té Verde y Negro	Ayudan a prevenir el envejecimiento, protegen del cáncer y de la formación de placas en las arterias.
10. **Quercetina** Ajo y Cebolla	Es anticancerígeno y protege el corazón.
11. **Genisteína** Soya	Es un anticancerígeno. Sin embargo, si la persona tiene cáncer y el tumor es sensitivo al estrógeno, debe evitarla.
12. **Antocianidinas** Manzana Roja, todas las *Berries* (Fresas, *Blueberries*, etc.), Arándano, Té Verde y Negro, Vino Tinto y Langosta	Protegen del cáncer, de enfermedades del corazón y de la degeneración macular.
13. **Acido Elágico** Todas las *Berries* y las Nueces	Protege del cáncer.
14. **Sulforafano** Brécol, Coliflor y Coles de Brusela	Es un anticancerígeno.
15. **Sinigrina** Coles de Bruselas	Detiene el crecimiento de células precancerígenas.
16. **Isotiocianatos** Berros	Protegen del cáncer de pulmón.

Fitonutriente Fuentes	Funciones
17. **Indoles** Coles de Bruselas	Protegen del cáncer del seno.
18. **Súlfidos Alílicos** Cebolla y Ajo	Son antioxidantes y anticancerígenos.
19. **Lignanos** Semillas de Lino	Protegen del cáncer.
20. **Resveratrol** Uvas Rojas, Jugo de Uva, Vino Tinto	Beneficia la salud del corazón y ayuda en la prevención del cáncer.

Lava bien los vegetales y trata de consumirlos crudos o levemente cocidos para preservar las vitaminas y los minerales (aunque los fitonutrientes no se pierden por el calor). Comienza a ingerirlos poco a poco y para crear el hábito, empieza con pequeñas cantidades. Por ejemplo, toma una hoja de espinaca o una sola cabecita de brécol, pícala en pequeños pedacitos y mézclalos con el arroz, las habichuelas y la carne. Aunque esa porción te parezca ridícula, créeme que comiendo pequeñitas porciones desarrollarás conciencia de su importancia y podrás ir educando a tu paladar.

9. Ingiere granos frecuentemente.

Los granos como las habichuelas, los garbanzos y las lentejas son excelente fuente de fibra y de fitonutrientes como los flavonoides y los saponinos.

10. Prepara las comidas utilizando alimentos y especias que tengan fitonutrientes y sean antioxidantes.

Cocina los alimentos con: cebolla (contiene quercetina y azufre), ajo (contiene alicina y flavonoides), perejil (contiene flavonoides) y orégano (contiene fenoles y tiene gran capacidad como antioxidante).

11. Evita los alimentos fritos.

Cuando las grasas se exponen a temperaturas elevadas, se producen cambios químicos y se forman radicales libres (sustancias que aumentan el envejecimiento y los riesgos de cáncer y problemas cardiovasculares). Se puede freír con aceite de semilla de uva ("Grape Seed Oil"), ya que éste tolera la temperatura elevada sin formar radicales libres. En alimentos como las papas fritas, se produce la **acrilamida**. Esta sustancia está bajo investigación porque se cree que puede aumentar el riesgo de cáncer.

12. Consume algún producto de soya.

Contiene el fitonutriente genisteína, el cual se ha encontrado que ayuda a prevenir el cáncer de próstata y senos.

13. Ingiere nueces frecuentemente.

Las nueces, como las almendras, avellanas, nueces de Brasil y otras semillas son excelentes fuentes de polifenoles y fitoesteroles que ayudan en la prevención del cáncer.

14. Prefiere el té verde.

Tiene un gran contenido de fitonutrientes como las antocianidinas.

15. Reduce el consumo de carnes rojas.

El consumo de más de 2 veces en semana de carnes rojas aumenta los riesgos de cáncer de próstata.

16. Limita las bebidas alcohólicas.

El consumo de bebidas alcohólicas aumenta el riesgo de cáncer de boca, laringe y esófago. En la mujer, el tomar más de 3 tragos a la semana aumenta el riesgo de cáncer de mamas.

17. Aprende a comer menos.

Estudios indican que ingerir diariamente grandes cantidades de calorías reduce la expectativa de vida y puede aumentar el riesgo de ciertos tipos de cáncer.

18. Practica regularmente el ejercicio.

El ejercicio mejora el sistema inmunológico y reduce los riesgos de algunos tipos de cáncer.

19. Reduce el nivel de estrés.

El estrés baja el sistema inmunológico y aumenta la producción de hormonas y sustancias que aumentan el envejecimiento, los riesgos de cáncer, los problemas cardiovasculares y disminuye el apetito sexual.

20. Cuida tu vida espiritual.

Es importante mantener una vida espiritual en armonía a través de la oración, la vida religiosa en comunidad y las prácticas de los buenos valores. Una vida espiritual satisfactoria ayuda a mantener un cuerpo físico y mentalmente saludable.

LA NUTRICIÓN: CLAVE EN LA PREVENCIÓN DE ENFERMEDADES CARDIOVASCULARES

La primera causa de muerte en Puerto Rico y los Estados Unidos son las enfermedades cardiovasculares. Aunque el factor genético, al igual que en el cáncer y otras enfermedades, aumenta significativamente los riesgos, el estilo de vida es de gran importancia. A continuación, presento las recomendaciones básicas que te pueden ayudar a reducir los riesgos de los problemas cardiovasculares.

RECOMENDACIONES BÁSICAS:

1. **Mantén un peso saludable.**

   El sobrepeso aumenta la presión arterial, los problemas de lípidos en la sangre y los riesgos de enfermedades del corazón. Cada libra de peso, aumenta el esfuerzo de tu corazón, ya que tiene que bombear sangre a varias millas extras de vasos sanguíneos.

2. **Consume comidas bajas en grasas saturadas.**

   Las grasas saturadas son las grandes responsables del aumento del colesterol en la sangre. Fuentes de grasas saturadas son: mantequilla, manteca de fuente animal o vegetal, aceite de coco o palma, crema agria, tocino, tocineta y queso crema. Los siguientes alimentos también tienen un alto contenido de grasa saturada: las hamburguesas, los "hot dogs", el queso regular, la leche regular, la piel del pollo y los cortes de carne de res como "T-bone", "Porter House", "Corned beef"; carne molida regular y las costillas.

3. **Limita la porción de los alimentos con alto contenido de colesterol.**

   El colesterol es una sustancia serosa familia de los lípidos. Es esencial para la estructura de las membranas celulares, la producción de los ácidos biliares y distintas hormonas, como las del sexo. Sin embargo, sus niveles muy elevados aumentan el riesgo de problemas del corazón. El colesterol total se divide en dos tipos principales de lipoproteínas: las de alta densidad, conocidas como el HDL ("colesterol bueno") y las de baja densidad, conocidas como el LDL ("colesterol malo"). El HDL sirve de protección al corazón mientras que el LDL se deposita en las arterias coronarias provocando las obstrucciones. En la actualidad, los niveles recomendados de colesterol total son de menos de 170 miligramos por decilitro, un HDL sobre 45 y un LDL bajo los 100.

Aunque cierta cantidad del colesterol en la sangre es producida por nuestro cuerpo a través del hígado, gran parte también se debe a la dieta. Los órganos internos como las mollejas y el hígado, los postres hechos con mantequilla y leche (bizcocho, flanes, mantecado) y los cortes fríos (salami, jamón, chorizo, pepperoni, mortadella, pastrami) son alimentos de alto contenido en colesterol. También la yema del huevo y los camarones contienen mucho colesterol, aunque son bajos en grasas saturadas.

4. **Reduce el consumo de grasas polidesaturadas.**

   Estas grasas pueden bajar el colesterol LDL ("malo"), pero bajan también el colesterol HDL ("bueno"). El aceite de maíz, de soya y de semilla de girasol, las margarinas y la mayonesa son fuentes de grasas polidesaturadas.

5. **Evita los ácidos grasos "trans".**

   Estos ácidos grasos se forman cuando se hidrogenan las grasas polidesaturadas para hacerlas más sólidas y evitar su ranciedad. Sin embargo, estas grasas no sólo bajan el colesterol bueno, sino que suben el malo y aumentan seriamente los riesgos de problemas cardiovasculares. Actualmente, en productos como las margarinas y otros se aclara en la etiqueta si son libres de ácidos grasos "trans" y, si los contienen, debe especificarse la cantidad.

6. **Aumenta el consumo de grasas monodesaturadas.**

   Estas grasas ayudan a bajar el colesterol "malo" sin bajar el "bueno". Las fuentes de grasas monodesaturadas son: el aceite de oliva, el aceite canola, el aguacate, las almendras y el maní. Los aceites deben comprarse preferiblemente orgánicos (producidos sin químicos), prensados al frío, de la primera prensada y en botellas de cristal. La fibra soluble de la avena, las frutas, los vegetales y los granos también ayudan a bajar el colesterol.

7. **Incluye diariamente ácidos grasos esenciales Omega-3 y Omega-6.**

   Los ácidos grasos Omega-3 son: el alfa linolénico, el eicosapentanoico y el docoxahexanoico. Los ácidos esenciales Omega-6 son el linoleico y araquidónico (el segundo se sintetiza a partir del primero). Los ácidos grasos Omega-3 ayudan a mantener la salud del corazón, mejoran la circulación, diminuyen la formación de placas y reducen la presión arterial. Buenas fuentes de Omega-3 son los pescados de aguas profundas como el salmón (prefiérelo "wild", ya que tiene menos contaminantes), las sardinas, la macarela y el arenque. Otras buenas fuentes también lo son el aceite de semilla de lino y el aceite canola. Los alimentos con un alto contenido de Omega-6 son las nueces, las semillas y los aceites de: ajonjolí, maíz, soya, girasol y semilla de uva.

8. **Mantén controlada tu presión arterial.**

   Se sabe que los alimentos altos en sodio pueden elevar la presión arterial. Por otro lado, el calcio y el potasio ayudan a bajar la presión arterial. Escoge productos bajos en sodio (menos de 140 miligramos por porción) y evita los que contengan más de 200 miligramos por porción. Mantén una buena ingesta de alimentos altos en calcio como: la leche, el yogurt, el queso bajo en grasa, el salmón, las sardinas, las almendras, el brécol y los granos como los garbanzos. Buenas fuentes de alimentos altos en potasio son: los granos, las viandas, el guineo maduro, la china y la parcha, entre otros.

9. Aumenta el consumo de frutas y vegetales.

Tanto los vegetales como las frutas son fuentes de fibra soluble que ayudan a bajar el colesterol LDL. Estos alimentos son también excelentes fuentes de fitonutrientes que protegen la salud del corazón.

10. Vigila los niveles de homocisteína.

Los niveles elevados de homocisteína (un tipo de aminoácido) aumentan el riesgo de problemas cardíacos. Los niveles bajos de piridoxina (B6), ácido fólico y cianocobalamina (B 12) aumentan los niveles de homocisteína. Algunos alimentos con un alto contenido de B6 son: la avena fortificada, los cereales de salvado de trigo, los garbanzos y las carnes. Las buenas fuentes de ácido fólico son: la espinaca, los granos (habichuelas, lentejas), los espárragos, la lechuga romana, la avena fortificada y el jugo de china. Excelentes alternativas que contienen B12 son: el pollo, las ostras, el salmón, las sardinas, la langosta, los cereales de salvado de trigo y el yogurt. Las vitaminas del complejo B son también importantes para el sistema nervioso y el bienestar mental (tema que incluiremos en un próximo libro).

11. Mantén un programa regular de ejercicios.

El ejercicio es necesario para mejorar la capacidad del corazón, bajar los latidos por minuto y la presión arterial. Además, el ejercicio ayuda a aumentar el colesterol HDL mientras baja el LDL y los triglicéridos.

12. Controla el nivel de estrés.

El estrés aumenta la presión arterial y los riesgos de un ataque al corazón. Utiliza el ejercicio, la música, la meditación y otros métodos para manejar efectivamente el estrés.

LA NUTRICIÓN: CLAVE PARA UNA BUENA VIDA SEXUAL

En las secciones anteriores de este capítulo, te he explicado sobre cómo la buena selección de alimentos te puede ayudar a prevenir distintas enfermedades. Sin embargo, la buena nutrición no sólo te ayuda a prevenir desórdenes fisiológicos, sino que también te aumenta el bienestar general.

Uno de los aspectos que se beneficia significativamente al tener un peso saludable y alimentarnos bien es el área de la sexualidad. En el elemento de la sexualidad se entrelazan muchos factores como: el amor, el placer, el trasfondo psicológico y la espiritualidad. Pocas veces, sin embargo, llegamos a considerar que la alimentación pueda influir en ese aspecto de nuestra vida. La buena nutrición, no obstante, ayuda a mejorar la respuesta sexual y, por otro lado, la actividad sexual mejora la salud. Por alguna razón, existe ese refrán popular que dice que "el amor entra por la cocina".

Beneficios de la actividad sexual:

- Aumenta la capacidad del sistema inmunológico (menos infecciones y catarros).
- Mejora el sentimiento de bienestar (más alegría y mayor optimismo).
- Estudios relacionan una reducción en el cáncer de próstata con un mayor número de eyaculaciones.

- Aumenta el nivel de oxigenación debido al incremento en el latido cardíaco.
- Prolonga la vida, ya que los hombres casados viven más que los solteros.
- El orgasmo aumenta la producción de hormonas que retardan el envejecimiento.

A continuación, te presento un resumen de los puntos de mayor importancia para mejorar la vida íntima.

RECOMENDACIONES BÁSICAS:

1. Evita la obesidad.

El exceso de libras aumenta el cansancio, la fatiga y disminuye la energía. Además, estar en un buen peso te ayudará a ganar agilidad, a sentirte más atractivo(a) y a tener una mejor actitud de dar y recibir caricias. Se ha encontrado también que en los hombres con sobrepeso, con cada 35 libras menos, aumenta en 1 pulgada el aspecto visual del pene.

2. Practica regularmente el ejercicio.

El ejercicio mejora la circulación sanguínea y la capacidad del corazón y los pulmones. También aumenta el apetito sexual.

3. Mantén una dieta balanceada con tres comidas y tres meriendas.

Tener una alimentación balanceada te ayudará a no tener deficiencias de vitaminas y minerales importantes para la respuesta sexual. Además, una buena alimentación con meriendas diarias aumentará tu energía y minimizará los períodos de irritabilidad por episodios de niveles bajos de glucosa.

4. Cuida la ingesta de nutrimentos importantes:

a. **Zinc** - Es indispensable para la salud de la próstata y la producción del semen. Su deficiencia puede causar esterilidad y la pérdida del deseo sexual. En la mujer, mejora la lubricación de la vagina.

Buenas fuentes son: las ostras, la carne de res y de ternera, las semillas de calabaza y los cereales de salvado ("Bran").

b. **Fósforo** - Es indispensable para la actividad cerebral, nerviosa y sexual.

Buenas fuentes son: los pescados y mariscos, el huevo, las carnes, la leche, las almendras y las semillas de calabaza.

c. **Manganeso** - Ayuda al buen funcionamiento de los nervios y el cerebro.

Buenas fuentes son: el brécol, la espinaca, las avellanas, el germen de trigo y los granos.

d. **Magnesio** - Es importante para la relajación muscular.

Buenas fuentes son: los mariscos, los granos, los vegetales de hoja verde, las almendras y los cereales de salvado.

e. **Lecitina** - Contiene acetilcolina y colina, que son indispensables para la excitación sexual. Es un componente principal del fluido seminal.

Buenas fuentes son: el germen de trigo, la soya y la yema del huevo.

f. **Vitamina E** - Ayuda en la producción de las hormonas sexuales.

Buenas fuentes son: el germen de trigo, las almendras, las avellanas, el aceite de girasol y "safflower", los cereales de salvado de trigo y las fresas.

g. **Vitamina A** - Mantiene la salud de las membranas y mucosas como las nasales, respiratorias y vaginales. Su deficiencia puede causar esterilidad y afecta las hormonas sexuales.

   Buenas fuentes son: la zanahoria, la calabaza, la espinaca, el brécol, el mangó y la batata mameya.

h. **Tiamina (B1)** - Es necesaria para la producción de energía. Su deficiencia puede causar pérdida de interés sexual.

   Buenas fuentes son: el salmón, el cerdo, el pavo, el germen de trigo, las nueces de Brasil y los cereales fortificados.

i. **Niacina (B3)** - Dilata los vasos sanguíneos y mejora la circulación.

   Buenas fuentes son: el pollo, los pescados, los cereales de salvado y fortificados, el brécol y los espárragos.

5. Aumenta el consumo de alimentos que se consideran afrodisiacos como:

- **El jengibre** - Tiene propiedades vasodilatadoras.
- **El ajo** - Aumenta la temperatura corporal y la erección debido al contenido del óxido nítrico.
- **Las almendras** - Contienen vitamina E que ayuda a la producción de las hormonas sexuales. Se dice que la diosa Afrodita masticaba almendras para aumentar su vigor.
- **Los espárragos** - Contienen fósforo, calcio y vitamina B 3 que dilata los vasos sanguíneos y mejora la circulación. El consumo de este vegetal ayuda a la erección.

- **El anís y la cebolla** - Se dice que reducen los problemas de impotencia.
- **El apio** - Contiene feromonas, sustancias mensajeras que actúan a través del olfato y el gusto, provocando una respuesta sexual.
- **La canela** - Tiene aroma estimulante.
- **El "chili pepper"** - Contiene *capsaicin*, aumenta el metabolismo y tiene propiedades como fitonutriente. Los amantes del *hot pepper* alegan que "la comida sin pique es como el sexo sin orgasmo".
- **Las semillas de calabaza** - Tienen zinc, mineral necesario para el deseo sexual.
- **El salmón** - Contiene ácidos Omega 3, necesarios para la producción de las prostaglandinas.
- **Los mariscos** - Son afrodisiacos porque provienen del mar como Afrodita (la diosa del amor en la mitología griega). Además, contienen mucho fósforo y las ostras son excelentes fuentes de zinc.
- **Las fresas** - Tienen vitamina E. Un alto consumo de frutas produce un sabor dulce en los fluidos corporales.
- **Las uvas rojas** - Contienen resveratrol que protege el corazón, órgano que tiene gran demanda durante la actividad sexual.
- **Las manzanas** - tienen, además de los fitonutrientes, la capacidad para provocar la "tentación", como lo hicieron con Adán y Eva.

Como has podido ver, la buena alimentación es importante para todas las funciones de tu organismo, para la prevención del envejecimiento prematuro, el cáncer, problemas cardiovasculares y el deterioro de la vida sexual. La selección de lo que comes todos los días debe incluir una gran variedad de alimentos. Sin embargo, en lo que formas el hábito de incluir todos los días opciones nutritivas, trata de consumir los próximos alimentos que te voy a enumerar por lo menos 3 ó 4 veces a la semana. Su cantidad de fitonutrientes, su capacidad antioxidante y su contenido de vitaminas y minerales los hacen indispensables para lograr una buena nutrición.

ALIMENTOS IMPORTANTES EN LA DIETA DIARIA:

1. **Salmón "Wild"** - Excelente fuente de Omega-3 y Astaxantinas.

2. **Aceite de Semillas de Lino** - Excelente fuente de Omega-3.

3. **Espinaca** - Excelente fuente de Hierro, Luteína, Zeaxantina y Criptoxantinas.

4. **Brécol** - Excelente fuente de Sulforafano, Luteína, Zeaxantina, Criptoxantinas, Hierro y Calcio.

5. **Nueces** (Almendras, Avellanas, Macadamia, Nueces de Brasil) - Excelentes fuentes de Saponinos, Ácido Elágico, grasa monodesaturada y Omega 6 y 9.

6. **Granos** (Habichuelas, Lentejas, Garbanzos) - Excelentes fuentes de Fibra, Flavonoides, Saponinos, Hierro y Calcio.

7. **Yogur** - Excelente fuente de Lactobacilos, Proteína, Vitamina A y Calcio (mineral que ayuda a bajar el por ciento de grasa en el cuerpo). El consumo del yogurt ayuda a reducir las infecciones vaginales y urinarias y mejora la flora intestinal.

8. **“Blueberries”**- Mejoran el funcionamiento cognitivo y motor del cerebro y la rapidez en la comunicación de las neuronas. Es excelente fuente de Antocianidinas y Ácido Elágico.

9. **Frutas Cítricas** (China, Limón, Toronja)- Contienen Vitamina C y los fitonutrientes Limoneno y Hesperetina que protegen del cáncer.

10. **Especias como**:

    1. **Ajo**
        - Es fuente de flavonoides.
        - Ayuda a bajar el LDL.
        - Estimula el sistema inmunológico.
        - Reduce el riesgo de cáncer.
    2. **Cebolla**
        - Es fuente de flavonoides.
        - Puede aumentar el HDL.
        - Es antioxidante y protege del cáncer.
    3. **Orégano**
        - Es fuente de fenoles.
        - Su capacidad como antioxidante es
            - ◊ 42 veces mayor que la de la manzana.
            - ◊ 12 veces mayor que la de la china.
            - ◊ 4 veces mayor que la de las “blueberries”.

4. **Canela**
    - Baja la glucosa en sangre.
    - Disminuye el crecimiento de bacterias y hongos.
    - Mejora la concentración y la memoria.
5. **Perejil**
    - Es fuente de flavonoides.
    - Aporta vitamina C.
6. **Jengibre**
    - Reduce el LDL.
    - Mejora la digestión y alivia las náuseas.
7. **Hojas de Laurel**
    - Mejoran la digestión y reducen los gases.

CAPÍTULO 24

MITOS Y VERDADES SOBRE LAS DIETAS Y EL EJERCICIO

Aclarando las creencias populares

"Al conocer la verdad sobre las muchas recomendaciones que existen para adelgazar, evitarás riesgos a la salud y tu proceso de perder peso será más efectivo".

¿QUÉ ES CIERTO Y QUÉ ES FALSO SOBRE LAS DIETAS Y EL EJERCICIO?

Hay muchos conceptos erróneos sobre las dietas y el ejercicio que las personas creen como verdades. En este capítulo, contestaré algunas dudas y preguntas que muchas personas tienen sobre las dietas y el ejercicio. Aclarando estas creencias populares, podrás mantener una alimentación y un programa de ejercicios más efectivo que te lleve a lograr un peso adecuado y un estilo de vida saludable.

SOBRE LAS DIETAS Y EL SOBREPESO

1. **¿Engorda el estrés?**

   El estrés en sí mismo no provee calorías para que la persona aumente de peso. Sin embargo, el estrés puede llevar a la persona a que tenga un consumo mayor de calorías al canalizar a través de la comida la ansiedad. También el estrés aumenta los niveles de la hormona cortisol y sus efectos pueden relacionarse con el envejecimiento prematuro, el sobrepeso y otros problemas de salud.

2. **¿Es cierto que después de las 5:00 p.m. no se debe comer?**

   Lo que lleva a una persona a aumentar de peso es el total de calorías en las 24 horas del día. La mayoría de mis pacientes cena entre 6:00 y 7:00 p.m. (a esa hora es que llegan a la casa) y consumen la última merienda entre 9:00 y 10:00 p.m. y ¡todos pierden peso! Por supuesto, si se usa el sentido común hay que entender que, mientras más temprano cenes, mejor. Sin embargo, más importante que la hora de la cena es cuáles alimentos seleccionas. Para entenderlo mejor, contéstate la siguiente pregunta. ¿Qué es mejor: cenar a las 5:00 p.m. una hamburguesa doble con queso, papas fritas y refresco o un pescado con vegetales a las 8:00 p.m.?

3. Dicen que debo desayunar como un rey, almorzar como un príncipe y cenar como un mendigo. ¿Es cierto?

Esta idea se basa en la medicina china, que establece que en la mañana es cuando más activo está el sistema gastrointestinal y que a medida que va pasando el día su funcionamiento se vuelve más lento. El desayuno es de todas formas, la comida más importante del día y si quieres llevar a cabo esa práctica la puedes seguir dentro del balance nutricional y las calorías que necesites. También puedes simplemente comer como un príncipe en las tres comidas. De este modo, en ningún momento, consumirás grandes cantidades de comidas como un rey, pero no tendrás limitaciones extremas como un mendigo.

4. ¿Debo evitar el arroz, las pastas y el pan si quiero perder peso?

Cantidades moderadas de fuentes de hidratos de carbono deben incluirse en toda alimentación saludable. De hecho, la mayoría de los pacientes de mi oficina se sorprenden de las muchas libras que bajan comiendo pan, arroz, pastas y viandas. Al principio consumen estos alimentos con temor, luego aprenden cuáles son las porciones correctas y después son felices disfrutando de estas comidas diariamente. En realidad, para perder peso no debes eliminar un grupo de alimentos, sean los hidratos de carbono, las grasas o las proteínas. Lo que debes hacer es consumir y combinar todos estos grupos de alimentos en las cantidades que te permitan perder peso.

5. **¿Todos los panes color marrón son más altos en fibra? ¿Me ayuda a perder peso el consumir pan integral?**

Lamentablemente, se piensa que todo lo de color oscuro va a tener más fibra o va a ser más saludable y no es así. Actualmente se están vendiendo en el mercado panes con el reclamo de "integral" que no aportan la cantidad suficiente de fibra. Para que un producto se considere **buena** fuente de fibra debe proveer 2.5 gramos o más de fibra por porción. Para que un producto sea **excelente** fuente de fibra debe proveer 5 gramos o más de fibra por porción. Así que, no permitas que te engañen. La próxima vez que vayas a comprar pan, simplemente lee la etiqueta y si aporta 2.5 gramos o más de fibra por rebanada es una buena fuente de fibra. Recuerda también que, aunque debes preferir alimentos altos en fibra para la salud en general, comoquiera estos productos tienen las mismas cantidades de calorías. Por ejemplo, el pan criollo o francés (pan de la panadería), aunque ahora se vende con más fibra, sigue teniendo muchísimas calorías. Una porción de una pulgada de este pan tiene las mismas calorías que una rebanada del pan especial blanco o integral.

6. **Para poder perder peso, ¿tengo que preparar las comidas sin sal y sin sabor?**

No. Puedes adobar las comidas con poca sal, condimentos y especias como: el ajo, los pimientos, la cebolla, el recao, el orégano, la pimienta, el vinagre y otras. Estas especias no tienen una aportación calórica significativa y ayudan a lograr un mejor sabor en las comidas. Como regla general de salud, debes bajar el consumo de sodio; así que utiliza la sal con moderación y adobos bajos en sodio o, mejor aún, prepara tu propio sofrito con ingredientes frescos.

7. ¿Hay alguna dieta especial que me ayude a mejorar las medidas y la proporción de mi cuerpo?

Las personas tienen distintos tipos de cuerpo, algo que depende de la genética. Éstos se clasifican en: endomorfos ("gorditos y bajitos"), ectomorfos ("altos y delgados") y mesomorfos (de estatura mediana y medidas proporcionadas). Las personas pueden estar en esta clasificación, pero también pueden tener características mezcladas. También, los distintos tipos de cuerpo pueden compararse con las figuras geométricas: el triángulo,∇ (son los que tienen la espalda ancha y las caderas estrechas y los del triángulo invertido, con la espalda angosta y las caderas anchas); el círculo, O (tienen el cuerpo y las extremidades redondeadas) y el cuadrado, □ (tienen un cuerpo proporcionado). No existe ninguna dieta especial para cambiar la forma de tu cuerpo. Sin embargo, independientemente del tipo de cuerpo que la genética te haya dado, si mantienes un peso adecuado, una buena alimentación y haces ejercicio, te sentirás y te verás mejor.

8. ¿Debo usar azúcar negra o miel en vez de usar azúcar blanca o sustitutos de azúcar?

El azúcar negra, aunque tiene más nutrimentos que la refinada, no contiene cantidades que sean significativas, por lo que no puede verse como fuente de vitaminas y minerales. A la miel se le atribuyen distintas propiedades para la salud, pero es alta en calorías. Los edulcorantes artificiales (sustitutos de azúcar), sobre los cuales distintos sectores de la población presentan dudas o cuestionamientos, son hasta el momento aceptados como "seguros" de acuerdo con la Administración de Drogas y Alimentos. Sin embargo, hay personas a las que pueden causarles síntomas de alergia o intolerancia, como dolor de cabeza y malestar. Estos edulcorantes no proveen calorías y en una dieta para perder peso pueden recomendarse. Sin embargo, sé prudente en su uso y, si no deseas consumirlos, en los *health foods* hay opciones como sustitutos de azúcar sin calorías que pudieras considerar.

9. ¿Puedo tomar café negro?

El café no tiene calorías, y desde esa perspectiva, lo puedes tomar. Sin embargo, recuerda que el mucho café te puede irritar el estómago y aumentar los niveles de la hormona cortisol. Además, la cafeína hace que se pierdan algunas vitaminas del complejo B y limita la absorción del calcio. Una cantidad moderada es de entre 1 y 2 tazas diarias. Evita pasar de tres tazas al día y considera sustituirlo por otras bebidas calientes como el té verde.

10. ¿Debo tomar vitaminas con la dieta para perder peso?

Si la dieta es totalmente balanceada, no las necesitas. Sin embargo, si no estás consumiendo una buena alimentación puedes considerar suplementar la misma con alguna multivitamina (una tableta que tenga todos los nutrimentos) y otra tableta adicional de vitamina C de 250 miligramos dos veces al día. A la hora de escoger la multivitamina verifica que los minerales estén en su forma quelada o *chelated* . Esta es la manera en que mejor se absorben. Recuerda, de todos modos, que el tomarte una multivitamina no cancela la necesidad de seleccionar bien los alimentos, ya que éstos contienen miles de fitonutrientes y otras sustancias que son necesarias y que las tabletas no pueden proveerte.

11. ¿Ayudan las dietas vegetarianas a perder peso?

No. Las dietas vegetarianas son opciones saludables para las personas que no desean consumir proteína animal por razones filosóficas (no están de acuerdo en matar animales para alimentar a las personas) o de salud. Si se hace una combinación correcta de los alimentos de origen vegetal, se puede obtener una alimentación saludable. Sin embargo, si la persona desea perder peso, tiene que igualmente controlar las porciones de los alimentos para poder controlar las calorías.

12. ¿Tengo que eliminar las bebidas alcohólicas

Las bebidas alcohólicas aportan muchas calorías, las cuales se metabolizan como grasas. Cada gramo de alcohol provee 7 calorías. Aunque algunos estudios revelan que pudieran tener cierto beneficio para el corazón, sobre todo, el vino tinto (por el resveratrol y otros fitonutrientes), el consumo frecuente de bebidas alcohólicas aumenta los riesgos de cáncer de mamas, boca y esófago. La clave está en un consumo moderado. Mientras quieras perder peso, evítalas o consúmelas en forma limitada. Por ejemplo, no más de dos tragos a la semana si eres mujer y tres tragos si eres varón. Los tragos son equivalentes, ya que tienen las mismas calorías aproximadas. Por ejemplo, los siguientes tragos tienen aproximadamente 80 calorías: 4 oz. de vino (tinto, blanco o rosado), una cerveza *light y* una onza de licor fuerte (ron, whisky o vodka). Mientras más "grados prueba" tenga el licor, más calorías provee. Para espaciar los tragos, puedes intercalar bebidas sin calorías, como el agua tónica con limón.

SOBRE EL EJERCICIO Y EL SOBREPESO

1. **¿Qué sucede cuando la ropa me queda más grande, pero la báscula indica que peso lo mismo?**

   Cuando la ropa empieza a quedarte más grande, eso significa que has perdido grasa. Si has estado haciendo ejercicios, puede ser que la masa muscular haya aumentado, aunque hayas perdido grasa. Por esa razón, el peso se mantiene igual, aunque la ropa te quede más ancha. El tomar las medidas del cuerpo con regularidad, por ejemplo, una vez al mes, te ayuda a ver con claridad en qué parte de tu cuerpo has reducido pulgadas. Bajar la grasa en el cuerpo y aumentar la masa muscular debe ser la meta en todo programa de reducción de peso.

2. **Si comienzo a hacer ejercicios de pesas, ¿debo aumentar la cantidad de proteínas en la dieta?**

   La proteína se necesita para el desarrollo de la masa muscular. La alimentación para una persona que desee aumentar la masa muscular debe proveer la cantidad de proteína necesaria (entre 1.5 y 1.8 gramos por kilogramo de peso). Sin embargo, si la dieta no ofrece la cantidad de hidratos de carbono y calorías que el cuerpo requiere, éste utilizará las proteínas para proveer la energía. La dieta, por otro lado, no se debe exceder en las cantidades de proteínas y calorías, ya que las que el cuerpo necesite las utilizará, pero las que sobren las almacenará en forma de grasa.

3. ¿Debo esperar a llegar a un peso saludable para comenzar con un programa de pesas?

No. Los ejercicios de pesas los puedes comenzar desde el principio. Lo que va a variar es el peso de las mismas y el número de repeticiones, de acuerdo con lo que quieras obtener. Por ejemplo, si quieres seguir perdiendo peso manteniendo el músculo sin agrandarlo, la rutina requerirá un peso liviano o moderado con muchas repeticiones. Si lo que deseas es ir aumentando la masa muscular, necesitarás un mayor peso y menos repeticiones. Sea a través de las bandas, las pesas livianas como los *dumbells* o con mucho peso con barras o máquinas, una rutina básica de ejercicios de resistencia es importante combinada con los ejercicios cardiovasculares como caminar, trotar, hacer bicicleta o nadar.

4. ¿Me ayudan los ejercicios abdominales a "bajar la barriga"?

Estos ejercicios son necesarios porque van a ayudarte a ganar fuerza y a definir mejor los músculos abdominales, el recto abdominal y los oblicuos. Hacer ejercicios abdominales también te va a ayudar a mejorar la postura y le va a dar un mejor soporte a tu espalda. Sin embargo, el hacer ejercicios abdominales no va a eliminar la grasa de esa área. Lo que va a ayudarte a bajar la grasa en la cintura es una dieta moderadamente baja en calorías con el ejercicio cardiovascular (caminar, correr, hacer bicicleta y nadar) realizado por más de 30 minutos frecuentemente en la semana (entre 3 y 6 veces).

5. **¿Cuándo es mejor hacer el ejercicio, en la mañana o en la tarde?**

El ejercicio siempre tiene beneficios. Si se hace en la mañana (recuerda que las personas con hipoglucemia y otras condiciones no deben hacer ejercicios en ayuno total), tendrás energía para todo el día. Si no tienes el tiempo para hacerlo en la mañana, puedes hacerlo en la tarde o en la noche. Cuando realizas el ejercicio a estas horas, liberas el estrés del día y si es de forma moderada, te ayuda a controlar el apetito. Algunas personas, cuando realizan el ejercicio en la noche, les aumenta mucho el nivel de energía y les dificulta conciliar el sueño. Sin embargo, en realidad no es tan importante a la hora que hagas el ejercicio, sino hacerlo frecuentemente. Recuerda además, que el ejercicio baja los niveles de glucosa, punto que debe ser tomado en consideración por las personas con diabetes e hipoglucemia.

6. **¿Debo usar sudaderas o plásticos para transpirar más a la hora de hacer el ejercicio y así perder más peso?**

¡No! El ejercicio debe hacerse con ropa liviana que permita la transpiración normal. Utilizar sudaderas, plásticos u otras opciones puede hacer que suba demasiado la temperatura corporal y tengas un "shock" por calor. Además, el peso que pierdes por el sudor es agua que se recupera tan pronto comiences a hidratarte. Recuerda que el peso que debes perder es en grasa, no en músculo o agua.

7. ¿Qué ayuda más a perder peso: el correr 15 minutos o caminar 30 minutos?

Ambos ejercicios son cardiovasculares. Tienen un alto consumo de oxígeno y utilizan grupos musculares grandes del cuerpo. Cuando se hace el ejercicio cardiovascular, en los primeros minutos la forma principal que utiliza el cuerpo para producir la energía es a través del glucógeno (energía almacenada en el músculo). Luego, al prolongarse el ejercicio se utiliza más la grasa del cuerpo para producir la energía. En los primeros 15 minutos de trotar utilizas más glucógeno y en el caminar, a los 20 ó 30 minutos empiezas a utilizar más grasa. Sin embargo, el correr es un ejercicio de mayor intensidad, por lo que quema más calorías. La mejor recomendación para perder peso sería la de alternar el caminar y el correr y prolongar el ejercicio cardiovascular por 45 minutos.

8. ¿Qué debe incluir un programa de ejercicios?

Todo programa de ejercicios debe incluir los siguientes componentes: ejercicio cardiovascular (ayuda a perder peso y mejora la capacidad del corazón y de los pulmones), ejercicios para desarrollar fuerza, como los de las bandas y pesas (aumentan la fuerza y la masa muscular) y los ejercicios de flexibilidad (mejora el alcance de los músculos y previene lesiones musculares). Recuerda siempre calentar los músculos antes de comenzar con los ejercicios y siempre estirarlos al finalizar la rutina.

9. Si hago mucho ejercicio, ¿puedo olvidarme de la dieta y aún así perder peso?

No. El ejercicio tiene muchos beneficios y te ayuda a quemar calorías, pero si recuperas en las comidas las calorías que gastas en el ejercicio, no podrás crear el déficit calórico que necesitas para perder peso. Así que, trata siempre de cuidar tu alimentación y combinarla con un programa básico de ejercicios.

CAPÍTULO 25

RECOMENDACIONES FINALES

Más sugerencias sencillas y efectivas para perder peso a través de la buena alimentación y el ejercicio.

"Diseña y lleva a la práctica estrategias sencillas y efectivas que te ayuden a mantener el control en las comidas a través de todo el día".

RECOMENDACIONES BÁSICAS SOBRE LA ALIMENTACION Y EL EJERCICIO

AL HACER LA COMPRA

1. Antes de ir al supermercado, prepara una lista de los alimentos que necesitas comprar.

2. Es conveniente preparar un menú semanal (no tiene que ser demasiado detallado) y hacer la lista de compras de acuerdo con lo que planificas cocinar.

3. Ve al supermercado después de comer y nunca cuando tengas hambre, ya que echarás en el carrito de compras artículos que no necesitas, pero que los deseas en el momento.

4. Cuando almacenes los alimentos, coloca los que son altos en calorías en un lugar poco visible.

5. Evita llevar alimentos que sean "tentaciones" para ti. Si de todos modos tienes que comprar algunos que requieran refrigeración, almacénalos en la parte de atrás de la nevera, donde sea difícil verlos.

EN LA CASA

1. Al preparar las comidas, haz sólo la cantidad necesaria (a menos que vayas a guardar para el otro día) para que no estés tentado(a) a volver a comer de lo que sobró.

2. Cuando cocines, prueba la comida sólo cuando sea necesario.

3. No cocines si tienes mucha hambre. Es preferible comer algo liviano, como una fruta y luego comenzar a preparar la comida.

4. Mientras quieras perder peso, trata de preparar solamente comidas y recetas bajas en calorías.

5. Al recoger la mesa, elimina los residuos llevándolos directamente al zafacón lo antes posible.

6. No dejes platos en la cocina con sobrantes de comida que puedan tentarte y no te comas lo que dejan tus niños(as). Estos sobrantes pueden tener muchas calorías.

7. Evita comer los residuos de comida de los utensilios o cubiertos antes de echarlos al fregadero.

A LA HORA DE COMER

1. Toma un vaso de agua antes de las comidas.

2. Mastica bien despacio los alimentos (por lo menos 15 veces antes de tragar).

3. Come sentado(a) y observando la comida (el sentido visual es importante para satisfacerte más rápido).

4. Mientras comes, evita realizar actividades como ver televisión, leer el periódico y otras.

5. Tan pronto termines de comer, si es posible, cepíllate los dientes. La sensación de limpieza te ayudará a no volver a comer.

6. Acostúmbrate a consumir todos los días, por lo menos, una fruta y una porción de vegetales.

CUIDA LA ACTITUD

1. Cuando estés tentado a comer "algo" que tú sabes es muy alto en calorías, ¡reflexiona antes de comerlo! Acuérdate de que tú quieres perder peso y que para lograrlo vas a tener que excluir por un tiempo esos alimentos. Luego los vas a poder comer ocasionalmente y en pequeñas cantidades.

2. Debes estar claro(a) de que, como en todo proyecto que requiere tiempo, esfuerzo y disciplina, vas a tener momen-

tos difíciles y de frustración. Acepta esos momentos como parte del proceso. Recuerda: ¿cuándo se ha logrado algo importante sin alguna desilusión?

3. Anímate cuando los resultados no sean los que esperabas y prémiate cuando logres lo que quieres (¡pero no con comida!).

4. No dudes en buscar ayuda y apoyo cuando lo necesites.

5. Sé perseverante. Recuerda que los que llegan a donde quieren no son siempre los más rápidos y los más inteligentes, sino los más consecuentes y disciplinados.

SOBRE EL EJERCICIO

1. Antes de comenzar con el ejercicio, visita a tu médico para que te haga una evaluación completa y te autorice a comenzar.

2. Caminar es uno de los ejercicios más sencillos y seguros para comenzar.

3. Empieza a caminar por períodos cortos de tiempo de 10 ó 15 minutos (si hace tiempo que no haces ejercicio o tienes una obesidad marcada) y luego lo vas aumentando a medida que lo vayas tolerando. El tiempo del ejercicio al comenzar va a depender de: la edad, la condición física, los problemas médicos y el tiempo que llevas sin hacerlo. El tiempo del ejercicio cardiovascular al que debes llegar puede variar, pero para ayudarte a bajar libras y grasa corporal el mínimo recomendado es de 30 a 60 minutos (en promedio 45) entre 3 y 5 veces a la semana.

4. Mientras quieras perder peso, el énfasis en el ejercicio debe ser en el cardiovascular y debes incluir siempre ejercicios de resistencia (pesas, bandas). De este modo, vas a preservar la masa muscular y solamente perderás grasa corporal

en el proceso. Al realizar los ejercicios de resistencia, debes tratar de trabajar cada grupo muscular por lo menos 2 veces a la semana.

5. El ejercicio ofrece muchos beneficios, pero requiere mucha perseverancia para ver y mantener los resultados. Con dos semanas de haber dejado el ejercicio, puedes perder el 50% de los logros obtenidos.

Recuerda que estas sugerencias son sencillas y efectivas, pero son recomendaciones generales. Busca siempre la orientación profesional con tu médico, el(la) nutricionista /dietista licenciado(a) y tu entrenador(a) personal. De esta forma, tendrás tu tratamiento y tu programa individualizado de acuerdo con tus necesidades y metas.

CAPÍTULO 26

LA EXPERIENCIA DE ALGUNOS PACIENTES

Ejemplos que motivan

"Utiliza la lectura sobre las experiencias de estas personas para que comprendas que de la misma forma que ellas decidieron bajar el exceso de libras y alcanzaron su peso saludable, tú también lo puedes lograr. Son seres humanos como tú, con dificultades y limitaciones, pero también con metas y sueños".

HISTORIAS DE ÉXITO

Dicen que el ejemplo enseña más que muchas palabras. De igual modo, ver a una persona que ha perdido muchas libras de peso puede motivar más que una lista de razones para evitar la obesidad. Es por eso que quise finalizar el libro compartiendo la experiencia de algunos pacientes. Sus testimonios son publicados con autorización (también la de los padres en caso de los menores) y de forma voluntaria con el único interés de exponer sus vivencias y estimular a otras personas a llegar a la meta de un peso saludable. A pesar de que no se incluyen las fotos, leer sus expresiones puede ayudar a conocer cómo fue el proceso de bajar libras y por qué tanta satisfacción y alegría al haberlo logrado. Los ejemplos que se presentan son una pequeña muestra de lo que muchos logran al decidir perder peso y aprender a comer. Aunque me hubiera gustado poder incluir la experiencia de muchos otros pacientes satisfechos y agradecidos por la experiencia de perder libras y mejorar su alimentación, por razones de espacio se tuvo que limitar la cantidad de casos.

NIÑOS(AS) Y ADOLESCENTES

1. **Emanuel Rivera- 11 años (estudiante)**

   Perdió 17 libras

   "Para mí los mayores beneficios que he tenido al perder peso son la rapidez y la habilidad que he desarrollado en el deporte. Practico el 'soccer' y al tener menos libras he mejorado mucho. También me gusta el que me siento y me veo mejor y la gente me lo dice. Lo más difícil de todo fue el aprender y acostumbrarme a desayunar, ya que nunca lo hacía. Sin embargo, como la nutricionista es buena gente y me agrada, se me ha hecho más fácil lograrlo. Con ella aprendí, cuáles son las comidas saludables y cuáles son las porciones que debo comer. Además, ahora hago meriendas y raras veces como lo que no es saludable".

2. Ismarie Fernández- 16 años (estudiante)

Perdió 18 libras

"Mi experiencia al perder 18 libras fue sumamente significativa. Durante el proceso aprendí la importancia de tener una dieta balanceada y saludable, no sólo para tener un mejor aspecto físico y ser más delgada, sino por mi salud y el bienestar general. Antes de empezar mi dieta, tenía reflujo, problemas al caminar y un acné bien fuerte. A medida que cambié mi alimentación, mi piel mejoró considerablemente, así como el reflujo y la grasa en exceso de mi cuerpo desapareció. Atrás quedaron las comidas altamente condimentadas, los alimentos ácidos y los refrescos que comencé a sustituir por el agua y otras bebidas más saludables.

Lo más difícil del proceso fue cuando comencé la dieta, ya que me equivoqué con las porciones y no perdí peso en esas primeras semanas. Luego tuve que suspender el caminar porque me lastimé los músculos de una pierna, aunque después sustituí las caminatas por una bicicleta estacionaria que me recomendó Vilma. Lo que más me ha gustado de toda esta experiencia al perder peso, es que ahora estoy más consciente de los beneficios que los alimentos nutritivos consumidos adecuadamente pueden ofrecer a la vida de las personas. Seguir la dieta fue magnífico, comer en las porciones adecuadas, tomar más agua y eliminar los refrescos fue parte del éxito. Ahora me disfruto el hecho de que puedo caminar sin problemas y puedo usar minifaldas y camisas ajustadas. Me siento mejor conmigo misma y la autoestima y confianza en mi persona definitivamente han aumentado. Esta experiencia me demostró que cualquier meta que me proponga, si persevero y trabajo para llegar a ella, la podré alcanzar. ¡Nunca te rindas y siempre sigue adelante con la frente en alto y verás que podrás lograr cualquir cosa que te propongas!"

3. Omar José Romero- estudiante (niño especial con Síndrome Down)

Perdió 41 libras

La madre de Omar José expresa lo siguiente:

"Yo entiendo que lo mejor que le ha pasado a Omar José al perder todas esas libras es lo mucho que ha aumentado su autoestima. Él se siente orgulloso de su nueva figura. Además, tiene ahora mayor agilidad física y mental. Durante el proceso no tuvo ninguna dificultad y se adaptó muy rápido a su dieta tanto en el hogar como en el colegio, donde se hicieron los arreglos para igualmente mejorar su alimentación. Omar José está muy consciente de lo que son los alimentos saludables y hasta orienta a sus compañeros sobre lo que deben comer. Él ha aprendido a comer frutas, vegetales, a tomar mucha agua y a hacer sus meriendas. También hace ejercicios todos los días. Como madre puedo decir que después de haber bajado de peso, Omar José es una nueva persona".

4. Yadira Villalón- (joven con condición especial)

Perdió 49 libras

La madre de Yadira expresa lo siguiente:

"Mi hija Yadira Villalón nació con Perlesía Cerebral con Displejia Espástica. El beneficio mayor que ella ha tenido al perder peso es que ahora tiene mayor movilidad en sus piernas. En la terapia física me explicaron que su sobrepeso le atrofiaba más los músculos y la terapia no le brindaba los resultados que debía por el exceso de libras. Al perder peso, ahora ella se maneja más independientemente, especialmente cuando salimos a caminar o cuando vamos al supermercado. Ella me ayuda a

empujar el carrito de compras y no se cansa tanto como antes. Mi próxima meta es que comience a vestirse sola poco a poco.

Lo más difícil del proceso fue el medir los alimentos porque ella estaba acostumbrada a comer hasta que se llenara. También nosotros por pena, le dábamos dulces y frituras lo que no ayudaba a su peso. Ahora, después de cada comida, tiene que esperar para una merienda permitida dentro de su dieta. Actualmente ella entiende qué puede comer y qué no debe consumir. Cuando le ofrecen algo pregunta si es saludable.

Entiendo que llevarla a la nutricionista fue la mejor decisión que tomé, ya que ella le supervisa el peso, examina lo que come y aunque no pasa hambre, las comidas son en unas cantidades específicas. También ella le pone metas sobre cuánto debe bajar y eso motiva a mi hija a lograrlo. Cuando baja de peso me dice: 'La nutricionista está contenta porque bajé'. Además, la ropa le queda más bonita y cuando estrena algo me dice: 'Voy a modelar'. Honestamente como madre le agradezco mucho a la Lcda. Calderón haberme provisto de una guía para ayudar a mi hija a bajar de peso porque sola no lo hubiera podido hacer. Muchas veces las madres desconocemos cómo se deben preparar los alimentos y cuáles son las porciones correctas, sobre todo, para una hija que tiene tan poca movilidad".

5. Marie A. Viel Santiago- 16 años (estudiante)

Perdió 16 libras

"La buena nutrición es un elemento esencial en la vida del ser humano. Por tal razón, decidí visitar a la nutricionista Vilma Calderón, quien me ayudó con el proble-

ma de mi alimentación y sobrepeso. Cuando llegué a su oficina le expliqué que sufría de dolores de cabeza, mareos y mucho cansancio. Ella me quitó el azúcar refinada y me diseñó una dieta con tres comidas y tres meriendas. A la semana ya habían desaparecido los mareos, el dolor de cabeza y me sentía con más energía. Ahora me siento muy cómoda con mi peso y la ropa que antes no me servía ya la puedo usar. También he podido influenciar a mis amistades y familiares para que mejoren su alimentación.

Lo más difícil que se me hizo fue aprender a tomar suficiente agua, ya que antes casi no la tomaba. Creo que fue una excelente decisión el consultar a una nutricionista y me siento muy orgullosa de haber logrado mi meta".

ADULTOS

1. **Emilio Díaz- Ingeniero**

   Perdió 22 libras

   "Lo más importante para mí al perder peso es que logré estabilizar mi condición de diabetes y lo pude conseguir sin mucho sacrificio. Lo más difícil fue acostumbrarme a comer por porciones. Sin embargo, ahora me encuentro y me siento muy bien de salud, gracias a Dios, a mi disciplina y a mi nutricionista Vilma Calderón".

2. **Héctor Cruz Rosa- Profesional de la Industria Farmacéutica (maratonista)**

   Perdió 20 libras

   "Hace varios años, decidí que estaba cansado de mi condición física con unas 40 libras sobre el peso reco-

mendado. Comencé a correr y a comer comidas congeladas bajas en calorías. Logré mi meta en un período relativamente corto de tres meses. Con el pasar del tiempo, dejé las comidas congeladas y descuidé mis hábitos de alimentación, ya que pensaba que no eran necesarios debido a que hacía ejercicio diariamente y entrenaba para uno o dos maratones de 42 kilómetros.

Al pasar dos años, aunque me mantenía activo, sentía que me faltaba algo. Sufría de calambres en todas las partes del cuerpo al completar distancias de más de una hora. A pesar del ejercicio, aumenté 20 libras y lo que hacía era tratar de aumentar las distancias para poder sostener mis malos hábitos de alimentación. Llegué a sufrir de varias lesiones que no me permitieron continuar mi estilo de vida por meses. En un momento de ansiedad, decidí eliminar los hidratos de carbono. Perdí peso, pero no me sentía bien por el cansancio y los calambres.

Finalmente, por referencia de otro maratonista, llegué a la oficina de la Lcda. Calderón. Realmente es un momento inolvidable. Estuve en la recepción por espacio de media hora completando un cuestionario sencillo, pero muy difícil de contestar. Realmente, no podía ver y aceptar desde afuera, todas las cosas incorrectas que estaba haciendo con mi alimentación. Una nutricionista cambió mi vida como ninguna dieta o libro lo hubiera hecho.

Recibí un pequeño librito que se convirtió en mi pequeña Biblia y acompañante fiel a todo lugar. Tuve que visitar el supermercado por lo menos dos veces en semana para poder comer más saludable. Comencé a cocinar en casa y dejé de comer tan frecuentemente en los restaurantes. Continué con mis ejercicios y de un día a otro desaparecieron mis calambres. Me sentía con más energía y mis tiempos comenzaron a mejorar en todas mis carreras (3:20 en 42 km, 1:30 en el medio maratón San Blás,

39:27 en los 10km y 18:50 en 5 km). Perdí 20 libras y me convertí en un nuevo atleta. Mi presión arterial es muy baja y mi agilidad mental ha mejorado. A pesar de que tengo un trabajo que demanda mucho tiempo y requiere muchos viajes, he podido transformar mis hábitos de alimentación. También he podido influenciar a mis compañeros de trabajo y a mi esposa, quien también perdió peso y lleva un año manteniéndose.

Lo que más me gustó de todo este proceso fue que el plan de alimentación que la nutricionista me diseñó fue adaptado a mi estilo de vida con la flexibilidad que necesitaba y que no me ofrecían otras dietas extremas o poco balanceadas. Además aprendí a cocinar y a comer alimentos que no consumía. En resumen, puedo decir que antes corría para comer y ahora como para correr. ¡He aprendido a comer y sé lo que significa sentirse saludable!"

3. Félix Morales- Banquero

Perdió 70 libras

"Sufría de Apnea del Sueño y el sobrepeso era una de las razones que la complicaba. Tan pronto perdí las primeras 20 libras, recuperé el buen dormir. El otro beneficio importante que he obtenido al perder peso es que ahora puedo realizar deportes con mayor agilidad, actividades que actualmente comparto con mis hijos.

Desde el principio reconocí lo importante que era bajar de peso y creo que mi compromiso ha sido la clave para lograrlo. Lo que más me ha gustado de todo este proceso es que, curiosamente, puedo comer casi de todo. Resulta gracioso el que reducir de peso sea una cosa tan fácil, educativa y entretenida".

4. Carmen Serrano- Contador

Perdió 28 libras

"Encuentro que el mayor beneficio que he tenido al perder peso ha sido el mejorar la salud y la autoestima. Comencé con el programa de reducción a los 49 años y no tenía mucha esperanza de que lo pudiera lograr. Sin embargo, ahora tengo 50 años, soy tamaño 6 de ropa y cuando voy a la playa me pongo el bikini, que me queda regio. ¡Tengo los años en un bolsillo! Gracias a la nutricionista Vilma Calderón, aprendí qué debía comer para bajar de peso y cómo debo continuar alimentándome para mantenerme".

5. Juan Santiago- Ingeniero

Perdió 17 libras

"Lo más que me ha gustado de bajar libras es saber que tengo en control los niveles de glucosa. También el que me siento ahora con más energía y mi autoestima ha mejorado (todos los amigos y familiares te felicitan). Ahora tengo un patrón de ejercicios y salgo a caminar con mi hijo lo que ha mejorado la calidad del tiempo que paso con él. Entiendo que lo más difícil fueron las primeras dos semanas en lo que uno se acostumbra a las porciones y a hacer meriendas. Con esta experiencia he aprendido que a veces hay que tomar decisiones que luego te ayudan en muchas facetas de la vida, y uno es el único que determina su propio futuro".

6. Arlene Morales- Ama de casa

Perdió 37 libras

"Fui referida a un nutricionista en mayo de 2006 por mi internista. Mi peso era de 239 libras, mi presión arterial estaba descontrolada (a pesar de los medicamentos) y mis niveles de glucosa y colesterol estaban muy elevados. Así conocí a la nutricionista Vilma Calderón, quien me preparó una dieta de 1,500 calorías, baja en colesterol, en sodio y sin azúcares refinadas. Comencé a aprender a comer sin pasar hambre. También empecé a caminar 45 minutos, 5 veces a la semana. Los resultados pronto se empezaron a ver y hasta hoy he perdido 37 libras.

El perder peso me ha devuelto la vitalidad, ya que con el sobrepeso siempre estaba cansada. Los niveles de colesterol y glucosa se han normalizado y el internista me bajó la dosis del medicamento para la presión. Demás está decir que mi figura luce mucho mejor y mi esposo, hijos y amigos no cesan de elogiarme. De talla 2X, ahora estoy en 16. Lo más difícil que se me ha hecho es sacar tiempo para hacer los ejercicios y el tener que cocinar para una familia de cuatro adultos y dos nietos (a veces hay tentaciones).

Cuando se decide perder peso, por la razón que sea, es bien importante buscar ayuda profesional. En mi caso, la Lcda. Calderón ha desempeñado un papel muy importante, ya que ella ha estado para orientarme, estimularme y monitorear todo el proceso. Como ella me dice: 'Comer de forma saludable debe convertirse en un estilo de vida y no en una dieta momentánea para bajar unas libras'. Es cuestión de disciplina y perseverancia".

7. José L. Rosa- Ganadero

Perdió 27 libras

"Mi experiencia al visitar a la Lcda. Calderón y perder peso ha sido muy grata. Sin embargo, tengo que admitir que tenía mucha resistencia y no quería ver a ninguna nutricionista. Quien hizo la cita fue mi esposa por referencia de un matrimonio que conocimos y que habían perdido mucho peso. A insistencia de mi esposa y de mis hijos, fui a la primera cita, pero advirtiéndoles que si no me gustaba no iba a volver.

Los primeros días fueron horribles al ver tan poca comida en el plato. Poco a poco me fui acostumbrando y ahora me siento mucho mejor. Mis niveles de colesterol, triglicéridos y glucosa están normales, por lo que mi endocrinólogo me felicita en cada cita. Además, antes me dormía a cualquier hora del día y mi esposa tenía que guiar porque el sueño no me lo permitía. Ahora puedo guiar, me mantengo alerta y tengo más energía. No falto a ninguna cita con la nutricionista y hasta llego temprano. Le agradezco infinitamente a la familia Carbonell que me la recomendaron."

8. Delma Sáez- Gerente

Perdió 60 libras

"Mejorar el aspecto físico es definitivamente el mayor beneficio de perder peso, pero no cabe duda de que en el proceso una se da cuenta de lo importante que es combinar la buena alimentación con un programa de ejercicios. Cada día que pasa una se siente mejor y con más energía. El hacerlo con una nutricionista licenciada ayuda a entender en realidad cómo es el proceso y acaba

con todos los mitos que existen sobre cómo perder peso. Aprendí que todo tiene calorías, que hay que escoger lo que sea más nutritivo y que hay que hacer meriendas. Lo más difícil para mí fue el dejar de tomar bebidas alcohólicas, ya que me encantan los 'happy hours', pero aprendí que puedo vivir sin tener tantos a la semana y que el agua tónica con limón se deja tomar..."

9. José L. Cosme- Soldador

Perdió 44 libras

"Cuando llegué a la oficina de la Lcda. Calderón tenía un serio problema con mi peso y la diabetes. El haber aprendido a comer hizo que mis niveles de glucosa mejoraran tanto que la endocrinóloga me quitó la insulina que usaba por años.Además, ahora me siento mucho mejor al poder usar la ropa que me gusta.

Lo más difícil fue el tener que organizar mis comidas y meriendas e integrar a mi familia a una vida más saludable. Ahora me siento mejor de salud y mi imagen física ha cambiado totalmente. He aprendido a seleccionar lo que como tanto en mi casa como cuando estoy afuera."

10. Mayra Rivera Febo- Abogada

Perdió 36 libras

"Son muchos los beneficios que una obtiene al perder peso. En mi caso, puedo señalar que ya no me fatigo al caminar largas distancias o cuando subo escaleras. También una se siente mejor y el bajar de una talla 16 a una 8 hace que la autoestima mejore. Para mí lo más difícil fueron los primeros 14 días con el nuevo plan alimenta-

rio y realizar los primeros 15 minutos de ejercicio cardiovascular en las mañanas. Aunque una no pasa hambre, las primeras dos semanas fueron las más difíciles. Luego de superados esos días, lo demás es un cuento...

Lo más maravilloso que me ha resultado al perder peso y mejorar mi alimentación con la Lcda. Calderón es que hace dos años que logré mi peso y todavía lo sigo manteniendo. Creo que es necesario bajar de peso, pero también es bien importante hacerlo de manera saludable para que luego puedas mantenerte".

11. Mirta García de Carbonell- Maestra Retirada

Perdió 20 libras

"Al bajar las libras que tenía en exceso me siento mejor física y emocionalmente. Tengo más agilidad y me puedo poner la ropa que me gusta. Además, ahora voy a un gimnasio casi todos los días (después de tanta insistencia de la nutricionista con el ejercicio) y mi condición de osteoporosis ha mejorado. También al cambiar mi alimentación ya no tomo las pastillas para la acidez que usaba diariamente. Mi esposo también ha perdido peso y ha controlado los niveles de glucosa.

Lo que más me ha gustado de este proceso es que ahora sé que puedo lograr todo lo que me proponga, ya que antes pensaba que no era capaz de hacerlo. El haber aprendido a comer e incorporar el ejercicio en mi vida ha sido excelente".

12. Luz M. Rodríguez- Ama de Casa

Perdió 46 libras

"Al seguir las intrucciones de la Lcda. Calderón, por fin he aprendido a comer de una forma correcta y saludable. Ella como nutricionista es excelente y, además, siempre me motiva de una forma muy dulce. Con la dieta que ella me diseñó, he logrado bajar 46 libras. Ahora tengo una gran agilidad que había perdido, físicamente me veo mejor, mi salud ha mejorado en un 90% y hasta espiritualmente me siento con más armonía. Lo más difícil en todo el proceso fue comenzar a ejercitarme. Sin embargo, actualmemente camino 1 hora diariamente y estoy tan adaptada al ejercicio que como dice el anuncio: 'el cuerpo me lo pide' ".

13. Ramón U. Ortiz Carro- Ingeniero

Perdió 30 libras

"Son muchos los beneficios que se obtienen al perder peso. Entre ellos está el haber normalizado los parámetros en sangre de colesterol, triglicéridos y glucosa. Además, me he educado en el tema de cómo alimentarme saludablemente. También ahora se me hace más fácil ejercitarme y mi aspecto físico ha mejorado. De igual forma, he recibido muchas expresiones positivas y hasta he motivado a otros a mejorar sus hábitos alimentarios y a ejercitarse. Sin duda, mi estado de ánimo ha mejorado también.

Contrario a lo que pensaba, este proceso se me ha hecho más fácil de lo que imaginé. Gracias a mi compromiso y al asesoramiento de la Lcda. Calderón he podido reanudar la rutina de ejercicios que había dejado de hacer por los últimos 3 años y he podido reenfocar mis hábitos de alimentación. La Lcda. Calderón es una experta en su campo y sabe expresar sus conocimientos de una forma sencilla y efectiva a sus pacientes. La atención de la nutricionista y su 'staff' han sido clave para el éxito, ya que el trato es muy agradable y motivador, lo que ha ayudado a reforzar mi compromiso de mantenerme saludable".

14. Luisa Ortiz De Jesús- Contable

Perdió 19 libras

"Entre los beneficios mayores que he obtenido al adelgazar está el haber bajado los niveles de colesterol y triglicéridos que por años estuvieron elevados. También mi autoestima ha mejorado mucho, ya que me siento mejor conmigo misma. Antes cuando iba de tiendas, nada me quedaba bien y siempre me tomaba mucho tiempo en elegir la ropa. Actualmente, me encanta ir de tiendas, me disfruto el proceso y lo difícil ahora es escoger la ropa, ya que toda me queda bien.

Para mí lo más difícil fue el tener que dejar de comer los dulces (estuve 3 meses sin probar nada de azúcar), ya que me encantan. Lo que más me ha gustado de todo este proceso ha sido el perder peso, pero sin dejar de comer. Jamás en mi vida imaginé que se podía bajar esas libras consumiendo arroz y habichuelas practicamente todos los días. Siento que es sorprendente poder adelgazar, reducir pulgadas y llegar a mi nivel óptimo de grasa en el cuerpo, consumiendo esos alimentos. También me gustó mucho la forma en que la nutricionista me motivaba en cada visita. Creo que de la misma forma que visitamos a los médicos, toda persona debe ser evaluada por una nutricionista para que aprenda lo importante que es la buena nutrición y los muchos beneficios que se obtienen, no sólo para bajar de peso, sino para mejorar la salud".

15. María Ortiz De Jesús- Contable

Perdió 22 libras

" Para mí lo más difícil de todo el proceso fue el primer mes al tener que dejar los dulces y acostumbrarme a las porciones más pequeñas de comidas. Sin embargo, ya estoy en mi peso saludable y ahora puedo comer prácticamente de todo y hasta se me está permitido el bizcocho en una pequeña porción. Ahora me siento mejor conmigo misma y tengo mayor seguridad en mis actitudes. Actualmente mantengo una rutina de ejercicios y me siento mejor en el aspecto físico y emocional. El haber aprendido a comer me ha hecho consciente de lo que es saludable o dañino para mi cuerpo. Una vez se adquiere esa consciencia, seleccionar bien los alimentos es algo que se hace parte de tu estilo de vida".

16.Eduardo Lamboy- Programador de Computadoras

Perdió 185 libras

" El perder esas 185 libras ha beneficiado mucho mi vida. Se me hinchan menos los pies, me muevo con más facilidad, me canso menos y los problemas de espalda y rodillas han mejorado. Yo creo que lo más difícil fueron dos cosas: tomar la decisión y las primeras semanas. Al principio que comencé con la nueva forma de alimentación sentía que me daban temblores (como si estuviera dejando una droga) y se me perdía el librito de la dieta. Además, era difícil no comer sin entretenerme con otras actividades y masticar 15 veces. Luego empecé a acostumbrarme y todo se fue haciendo más fácil".

Lo mejor de estar en este proceso con una nutricionista es que es más científico y lógico a la vez. También ella te aclara las dudas que van surgiendo. Una vez le pregunté que si podía comer pizza y ella me dijo que sí. Me explicó que debía ser de masa fina, dos pedazos, etc. ¡Yo sólo recordé los dos pedazos, todas las otras recomendaciones se me olvidaron! Pero de esta forma y poco a poco de talla 66 ya estoy en tamaño 50. Todavía me falta y voy a continuar, ya que me siento mejor. Además, los halagos de la gente me motivan a continuar el nuevo estilo de vida".

17. Padre Jorge Colón- Sacerdote

Perdió- 36 libras

"Comencé un programa de ejercicios y nutrición con la Lcda. Calderón por recomendación de mi cardiólogo. Mis niveles de lípidos estaban altos y había sufrido un pequeño infarto. Con el ejercicio y la dieta, he podido bajar 36 libras. Ya los niveles de lípidos están normales y el cardiólogo me suspendió todos los medicamentos.

Soy sacerdote y toda mi vida he predicado que Dios nos quiere sanos en alma y cuerpo. Mi condición cardiaca me reveló que no estaba cuidando bien mi cuerpo. Ser responsable con el cuerpo es un deber cristiano, pues confesamos que es el templo del Espíritu Santo. Ahora con el ejercicio y la dieta me siento muy bien y hasta más alerta en la oración por lo que siento que mi relación con Dios está mejor atendida. Alma y cuerpo se juntan para alabar a Dios".

CONCLUSIÓN

¿Terminaste de leer el libro? ¿Sábes qué? Ahora es que realmente comienza tu trabajo con la oportunidad de demostrar que tienes el verdadero compromiso de llegar a un peso saludable. Si cierras el libro y lo guardas en un anaquel, ¿qué habrás ganado?: sólo información nueva para guardar en el "disco duro" de tu cerebro. Recuerda que tener nuevos conocimientos sobre nutrición es importante, pero no es suficiente. Necesitas llevar a cabo el próximo paso, ¡ponerlos en práctica! Para ayudarte a dar ese paso a continuación te presento una guía sugerida sobre actividades que puedes empezar a realizar. Puedes utilizar estas recomendaciones o puedes crear fórmulas propias que te funcionen.

¡Anímate! No dejes que pase otro año más con la ilusión de perder peso, pero sin lograr bajar esas libras y sin mejorar tu alimentación y tu salud. Te aseguro que son miles los pacientes que han asistido a mi oficina y que han llegado a su peso saludable. De la misma forma que ellos perdieron el exceso de libras, tú también podrás alcanzar la meta que te propongas. Poco a poco, con el compromiso y la consistencia, lo vas a lograr. De igual modo, cuando llegues a tu meta, puedes compartir tus logros conmigo ya sea por correo electrónico o postal (las direcciones están en la página IV). Voy a estar lista para conocer de tu experiencia, como espero tú estés listo(a) para empezar a cuidarte. ¡Tal vez tú podrás ser parte de las "Historias de Éxito" en la próxima edición del libro!

¿Estás listo(a) para comenzar a cambiar tu alimentación y a transformar tu cuerpo y tu vida? ¡Adelante, voy a ti!

Diez pensamientos para recordar...

He querido plasmar parte de las ideas del libro en estos pensamientos. Leerlos e internalizarlos van a ayudarte en el día a día en tu proceso de perder peso. Recurre a ellos cada vez que lo necesites.

1. "Establece tus metas claras y específicas. Recuerda que adonde vayan tu mente y tu corazón, de seguro llegará tu cuerpo".
2. "No hay dietas mágicas. La magia está en ti y se manifiesta cuando cambias tus actitudes y te comprometes con lo que quieres".
3. "Repítete diariamente, que no importa lo que pase, cada día, cada semana y cada mes vas a estar con menos libras y más saludable".
4. "No importa si no bajas las libras al ritmo que deseas. Lo importante es que, aunque te tome más tiempo, libra a libra vas a llegar adonde tú quieras".
5. "No desperdicies tu tiempo y tu energía en sentirte mal si las cosas no van como tú esperabas. Es mejor utilizar tus capacidades y tu esfuerzo para mantener la esperanza, continuar con tu meta y hacer lo necesario para sentirte bien contigo mismo(a) y lograr lo que quieres".
6. "Perder peso no es un sueño y puede ser una fascinante realidad. Tú eres quien decides y escoges qué vas a tener en tu vida: si la ilusión de adelgazar o la realidad de un peso saludable".
7. "No utilices la comida como un recurso de escape ante tus frustraciones. ¡Diseña nuevas formas de pensar y descubre y aplica estrategias efectivas para trabajar con tus estados de ánimo! No permitas que la tristeza, la depresión o el coraje te detengan en tu proceso de perder peso".

8. "Planifica los cambios en tu alimentación y en tu estilo de vida y comienza a practicarlos. Si no puedes ejecutarlos en su totalidad, no importa. Felicítate por los pequeños logros obtenidos y trata de seguir realizándolos lo mejor que puedas".

9. "Para lograr llegar a tu meta, recuerda que es necesario renovar constantemente tu compromiso de perder peso".

10. "Si crees en Dios o en alguna energía divina, pídele que te ayude en tu decisión de perder peso. Permite que Dios participe en todas las áreas de tu vida. ¡Afirma su presencia en tu propósito de mejorar tu alimentación, cuidar tu cuerpo y lograr una mejor calidad de vida!"

Se permite la reproducción de las siguientes páginas con el propósito de que la persona que adquiera el libro pueda comenzar a trabajar con su meta de perder peso. La reproducción para otros fines no está permitida. Está totalmente prohibida la reproducción de cualesquiera otras partes o páginas de este libro.

I. EVALUACIÓN Y METAS

A. EVALUACIÓN:

1. Peso Actual: __________
2. Índice de Masa Corporal: __________
3. Medida de la Cintura: __________

B. METAS:

1. Meta a Corto Plazo: _______
   Fecha: __________________
2. Meta a Largo Plazo: _______
   Fecha: _________________

II. SUPERANDO LAS DIFICULTADES

A. IDENTIFICA:

Situaciones de riesgo	*Tu reacción acostrumbrada*	*Tu nueva forma de actuar*
1.____________	1.____________	1.____________
2.____________	2.____________	2.____________

Horas de peligro	*Tu reacción acostrumbrada*	*Tu nueva forma de actuar*
1.____________	1.____________	1.____________
2.____________	2.____________	2.____________

Alimentos detonadores	*Tu reacción acostrumbrada*	*Tu nueva forma de actuar*
1.____________	1.____________	1.____________
2.____________	2.____________	2.____________

III. LA ACTIVIDAD FÍSICA O EL EJERCICIO

A. Tipo de ejercicio o actividad: __________________

B. Tiempo o duración: __________________________

C. Días de la semana: __________________________

IV. REGISTRO DIARIO DE COMIDAS Y EJERCICIOS

Fecha:

Desayuno: **Hora:**

______________________________ ____________

____

____

Merienda en la mañana: **Hora:**

______________________________ ____________

____

Almuerzo: **Hora:**

______________________________ ____________

____

____

____

Merienda en la tarde: **Hora:**

______________________________ ____________

____

Cena: **Hora:**

______________________________ ____________

____

____

____

Merienda en la noche: **Hora:**

______________________________ ____________

____

¿HICISTE EJERCICIOS HOY?

SÍ ____ Ejercicios y tiempo de duración ____________________

NO ___ Razón o excusa ______________________________

IV. EVALUACIÓN DE TUS HÁBITOS DE ALIMENTACIÓN Y TU ESTILO DE VIDA

COTEJA SI EN EL DÍA DE HOY:

	SÍ	NO
1. ¿Hiciste las tres comidas principales?	☐	☐
2. ¿Realizaste dos o tres meriendas saludables?	☐	☐
3. ¿Tomaste suficiente agua?	☐	☐
4. ¿Masticaste despacio las comidas?	☐	☐
5. A la hora de comer, ¿estuviste sentado(a) sin realizar otras actividades?	☐	☐
6. ¿Hiciste ejercicio cardiovascular?	☐	☐
7. ¿Realizaste ejercicios de resistencia (bandas o pesas)?	☐	☐
8. ¿Ingeriste alguna fruta?	☐	☐
9. ¿Consumiste algún vegetal?	☐	☐
10. ¿Incluiste alguna buena fuente de calcio: leche, queso o yogurt?	☐	☐
11. ¿Consumiste hidratos de carbono: panes, cereales, arroz, viandas, entre otros?	☐	☐
12. ¿Incluiste en tu dieta alguna fuente de proteína completa como las aves, el pescado, la carne roja magra o la carne de soya, entre otras?	☐	☐
13. En tus comidas, ¿hubo alguna fuente de grasa saludable como el aceite de oliva, de semilla de lino, las almendras, entre otras?	☐	☐

	SÍ	NO
14. ¿Consumiste tus comidas hasta satisfacerte y no hasta llenarte?	☐	☐
15. ¿Ingeriste tus alimentos respondiendo al hambre fisiológica y no a la “ansiedad por comer”?	☐	☐
16. ¿Pudiste manejar adecuadamente las tentaciones?	☐	☐
17. ¿Tuviste suficientes horas de sueño y descanso?	☐	☐
18. ¿Hiciste algo para ti mismo(a) que demostrara tu amor propio?	☐	☐
19. ¿Tienes tu nivel de estrés en control?	☐	☐
20. En el día de hoy, ¿sonreíste y le demostraste a alguien respeto, consideración o amor?	☐	☐

BIBLIOGRAFÍA

La información presentada en este libro proviene de múltiples fuentes y está basada en más de veinte años de experiencia clínica. Sería imposible presentar toda la referencia de los muchos artículos, libros y conferencias que me han ayudado en la redacción de este libro. Sin embargo, si deseas más información sobre los datos de nutrición que discuto, puedes ir a algunos textos básicos que me han servido de referencia y que están disponibles en las librerías especializadas en los temas de ciencia, nutrición y medicina.

1. Balch, Phillis A., Balch, James F. **Prescription for Nutritional Healing**. New York: Avery, 2006.

2. Insel, Paul, etal. **Nutrition**. Boston: Jones and Barlett Publishers, 2007.

3. Mahan Katleen, L., Escott-Stump, Sylvia. **Krauses Food, Nutrition & Diet Therapy**. Philadelphia: W. B. Saunders, 2004.

PIERDE PESO Y GANA SALUD
¡BYE BYE LIBRITAS DE MÁS!
ARTURO YEPEZ

Este libro se terminó de imprimir
en el mes de junio de 2007
en los talleres de Artes Gráficas de
RAMALLO BROS. PRINTING, INC.
300 Ramallo Boulevard #1
San Juan, Puerto Rico 00926